두부 전도왕

두 부 전 도 왕

초판 1쇄 발행 | 2006년 6월 15일
11쇄 발행 | 2007년 8월 1일
지은이 | 반봉혁

펴낸이 | 가진수
펴낸곳 | 아이러브처치
편 집 | 명상완
전 화 | 0505) 267-0691
팩 스 | 032) 505-6004
등록일 | 2005년 2월 16일
등록번호 | 제 2005-6호
홈페이지 | www.churchbook.net
이메일 | churchbook@hanmail.net

판권소유 ⓒ 아이러브처치 2007

값 10,000원

ISBN 89-956339-4-8 03230

"아이러브처치(ilovechurch)는 예수 그리스도가 주인인 교회를 사랑하며, 마지막 '때'(마 24:14)의 사명을 감당하고자, 믿음의 식구들과 함께 기도하며 준비하는 선교단체입니다. 아이러브처치는 찬양을 통한 영적회복, 도서를 통한 영적 강건함, 문화를 통한 복음화, 그리고 세계선교의 비전을 추구합니다."

두부 전도왕

반봉혁 지음

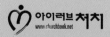

아이러브처치
www.churchbook.net

먼저 이 책이 출간될 수 있도록 인도해주신 하나님께 감사와 영광을 돌려드립니다. 부족하지만 하나님께 쓰임 받는 것만큼 기쁜 일은 없으리라 생각됩니다. 생명을 구원하는 소중한 사명을 주신 하나님께 다시 한 번 진심으로 감사를 드립니다.

무엇보다 가족들이 있어서 지금까지 힘써 전도할 수 있었습니다.

일생동안 홀로 네 자녀를 위해 헌신과 사랑으로 키워주신 어머니(故 양옥순)께 먼저 감사를 드립니다.

그리고 항상 아버지처럼 격려와 위로로 사랑해주신 큰 형(반봉민)과 작은 형(반봉영) 그리고 먼 미국 땅에서 오빠를 위해 지금도 기도하고 있는 여동생 반은희 집사와 매제 이우영 집사, 큰 형수(함영남), 작은 형수(이영희)에게도 감사드립니다.

옆에서 항상 위로와 격려로 기도해준 사랑하는 아내(최희자 권사)와 아빠를 위해 먼 중국에서 열심히 기도하며 공부하는 아들 웅철이에게도 당연한 감사를 드립니다. 어렵고 힘들 때마다 따뜻한 사랑으로 일생동안 아버님처럼 우리의 모든 가족들을 사랑과 보살핌으로 품어주셨던 권중희 변호사님께 진심으로 감사드립니다.

지금까지 하나님의 은혜 가운데 올 수 있었던 것은 많은 분들의 관심과 기도가 있었기 때문입니다.

믿음의 생활을 잘할 수 있도록 영적인 아버지가 되어주셨던 홍형표 목사님과 순천중앙감리교회 양금희 목사님, 순천감리교회 임성수 목사님, 길벗감리교회 김용태 목사님께 감사를 드립니다. 특별히 제가 이렇게 열심히 신앙생활을 할 수 있도록 기도와 사랑으로 품어주시고 이끌어주신 순천 학구장로교회 설학모 목사님, 순천 천보장로교회 이길수 목사님, 순천중앙장로교회 임화식 목사님, 대구 세광교회 김홍근 목사님, 담양읍교회 조태익 목사님, 광양섬진강교회 임영태 목사님께 감사드립니다.

또한 서울 광림교회 원로이신 김선도 감독님과 항상 위로와 포근한 아버지처럼 넉넉한 사랑으로 베풀어주신 인천 만수감리교회 성중경 목사님께 감사드리며 영원한 믿음의 동역자로 미소와 사랑으로 이끌어주신 로고스 로펌 대표이신 양인평 장로님과 전용태 장로님께도 감사를 드립니다.

그리고 늘 저의 사역을 위해 애쓰시는 극동방송국 김성휘 목포지사장님께도 감사드립니다. 미국 하나로커뮤니티교회 강일용 목사님과 예수사랑 낙도선교회 LA지부장이신 얼바인침례교회 한종수 목사님, 뉴욕지부장이신 뉴욕제일감리교회 지인식 목사님께 감사드립니다.

저를 위해 기도와 사랑으로 항상 격려해주는 왕지감리교회 조대성 담임 목사님과 모든 성도들, 특히 함께 개척해 항상 기도와 격려로 힘이 되어주신 송학수 권사님, 김명순 권사님께 감사를 드립니다.

또한 오늘 제가 두부 전도왕이 될 수 있도록 두부를 계속 지원해 주신 지양호 사장님과 상무 이종동 권사, 그리고 지도와 사랑을 아끼지 않고 친동생같이 이끌어주신 황수관 박사님, 항상 기도로 넉넉하게 지원해 주신 장경동 목사님 및 전국 각지의 모든 교회에서 이 시간에도 기도해 주시는 동역자들께 감사를 드립니다.

이 책이 나올 수 있도록 여러 가지로 힘써주신 아이러브처치 가진수 대표와 편집해 주신 S&P 명상완 실장께도 감사를 드립니다.

이 책을 하나님의 사람이 될 수 있도록 올바르게 키워주시고 저의 가슴 속에 영원히 살아계신 사랑하는 어머니께 바칩니다.

마지막으로 이 책을 통해 많은 성도들이 영혼구원의 사명에 불타며 교회마다 부흥의 불길이 다시 한 번 일어나기를 간절히 기도합니다.

반봉혁

|차 례| *Contents*

제1부
예수 나를 위하여

내가 그리스도와 함께 십자가에 못박혔나니 그런즉
이제는 내가 산 것이 아니요
오직 내 안에 그리스도께서 사신 것이라
이제 내가
육체 가운데 사는 것은
나를 사랑하사 나를 위하여 자기 몸을 버리신
하나님의 아들을
믿는 믿음 안에서 사는 것이라
(갈라디아서 2:20)

교회에 처음 나가다 1

순전하고 신령한 젖을 사모하라

지금도 그렇지만 저는 어릴 때부터 식성이 참 좋았습니다. 제 외가는 순천시 조곡동 장대라는 곳이었는데, 아버지가 몸이 불편하셔서 말썽꾸러기인 저를 외가로 보내셨습니다. 그 후 저는 외가에서 꽤 오랫동안 컸습니다. 말썽꾸러기였지만 귀염성이 있던 저는 외가식구들의 사랑을 독차지했습니다.

제가 여섯 살 때 마흔 나이에 늦둥이를 낳으신 외숙모가 한 분 계셨습니다. 그 당시에 아이를 낳고 초유를 바로 짜서 집안 굴뚝에 부어 놓으면 젖이 마르지 않고 잘 나온다는 민담이 전해져 내려오고 있었습니다. 작은 외숙모께서는 나이가 많아 젖이 잘 안 나오면 어쩌나 걱정이 되셨는지 그 민담대로 저에게 초유를 한 사발 짜서 주면서 굴뚝에 잘 붓고 오라고 심부름을 시키셨습니다.

그래서 저는 시키는 대로 초유 한 사발을 조심스럽게 들고 집 모퉁이를 돌아 굴뚝이 있는 데 까지 갔습니다. 그런데 갑자기 먹는 걸 버린다고 생각하니까 아까운 생각이 들었습니다. 순간 못할 짓이라는 생각이 들었고 마침 배까지 고팠습니다.

주변을 둘러보니 아무도 없는 것 같아 얼른 그 초유를 꿀떡꿀떡 마셔버렸습니다.

그 순간이었습니다.

"야! 이놈아 뭐하고 있냐?"

벼락같은 소리가 들려 온 것입니다.

깜짝 놀란 저는 초유 사발을 하늘에다가 내동댕이치면서

"아무것도 안 먹었어요." 라고 말하고 말았습니다.

지나시던 외삼촌이 초유 한 사발 굴뚝에 붓고 오라고 보낸 제가 뭔가를 먹고 있으니까 수상쩍어서 물어 보신 것입니다. 그런데 저는 너무 놀라서 초유고 뭐고 다 내동댕이 쳐버리고 옷이며 얼굴에 초유를 흠뻑 뒤집어쓰고도 "아무것도 안 먹었어요."라고 대답한 것입니다.

그 날 얼마나 혼이 났는지 모릅니다. 먹는 것을 너무 좋아한 나머지 일어났던 일입니다.

그런데 하나님의 말씀은 참 재미있습니다.

베드로전서 2장 2절에 "갓난아기들 같이 순전하고 신령한 젖을 사모하라"고 기록되어 있지 않습니까. 나중에야 이 말씀을 알게 되었는데 참 많은 위로가 되었습니다.

지금도 가끔 "하나님 저는 여섯 살 때부터 신령한 젖을 사모했나

아버지와 어머니의 추억이 여기에 고스란히 있습니다

이다."라고 몰래 하나님께 말씀드리기도 합니다. 마치 여섯 살 말 썽꾸러기처럼 말입니다.

내가 곧 생명의 떡이니

저는 지금 83킬로그램이 나갑니다. 키에 비해서 좀 과한 편이지 요. 그 몸무게를 유지하려고 하니 먹는 문제에 인생의 많은 것을 걸 었던 것 같습니다.

그래서 옛날이나 지금이나 그 어떤 시험도 믿음으로 이겨나갈 수 있는데 항상 넘어지는 것은 먹는 시험입니다.

대개 사람들이 교회에 나가게 되는 동기를 살펴보면 사업실패나 물질적인 어려움, 아니면 건강에 심각한 문제가 생긴 것 등 입니다.

저도 그런 동기가 있긴 했는데 참으로 저다운 동기였습니다. 그것은 유혹에 쉽게 빠지는 것이었습니다.

46년 전, 성탄절에 제가 다녔던 순천 성동초등학교에서 가까운 교회의 예쁜 주일학교 여선생님들이 두 손에 김이 모락모락 나는 시루떡을 들고 와서 "너희들 시루떡 많이 줄 테니까 교회에 같이 갈래?"라고 했습니다.

저는 그 때 친구 세 명과 손을 잡고 함께 가고 있었는데 그 친구들은 주일학교 선생님들의 시루떡으로 유혹하는 시험을 이기고 각자의 집으로 잘 돌아갔습니다. 그들은 그 날 집에 가서 지금까지 교회 안 나가고 집에 있습니다.

그러나 저는 김이 모락모락 나는 호박 시루떡 때문에 침을 흘리면서 유혹에 빠져 교회까지 따라가게 되었습니다. 그 시절에는 먹을 것이 흔한 때도 아니고 집에서 잘 먹어야 고구마나 삶아 먹던 시절이었습니다. 김이 모락모락 나는 시루떡이 그림도 아니고 바로 눈앞에 있는데 그 유혹을 뿌리치기는 상당히 어려웠습니다.

저는 그 때부터 교회에 나가게 되었습니다.

어린 시절의 그 시루떡 사건은 바로 요한복음 6장 35절에 나오는 "예수께서 가라사대 내가 곧 생명의 떡이니"라고 하신 말씀을 생각나게 합니다.

저는 그 때 '생명의 떡' 되신 예수님을 처음으로 만나게 된 것입니다.

그 날 목사님은 십계명에 대한 설교를 하셨는데 하나님께서 제일 싫어하시는 것이 우상 앞에 절하고 섬기는 것이라고 하셨습니다. 그리고 예수님만 구세주가 되시고 예수님을 통해서만 구원 받는 것이라는 말씀도 하셨고 그 외에는 구원 받을 수 없다고 설교하셨습니다. 처음 듣는 이야기라 잘 이해가 되지 않았지만 그 후 자주는 아니더라도 한 달에 한번, 혹은 두 번 정도 교회에 나갔습니다. 생각나면 그냥 나가는 정도였지요. 그렇지만 이때부터 제 마음속에 믿음이 싹트고 있었습니다.

아버지의 죽음과 나의 신앙

초등학교 4학년 때 순천에 어마어마한 수해가 있었습니다.

하룻밤 자고 나니 5~6백명이 사망하고 수천 명의 이재민이 발생할 정도로 엄청난 수해였습니다.

그 때가 8월이었던 걸로 기억이 나는데 특히 잊을 수 없는 사연이 있습니다.

수해가 있기 하루 전날, 아버지는 몸이 늘 불편하셔서 영양제 주사를 맞으셨는데 안타깝게도 주사가 완전히 소독되지 않아 급성패혈증에 걸리고 말았습니다. 당시에는 지금처럼 주사기를 한 번 쓰고 버리지 않고 끓여서 다시 쓰곤 했었습니다. 그런데 그게 소독이 덜 되는 바람에 급성 패혈증에 걸리신 것이었습니다. 그날 밤 아버지는 돌아가셨습니다. 당시 나이 마흔이었습니다.

어머니는 서른 넷이셨는데 졸지에 청상과부가 되었습니다. 얼굴도 예쁘셨고 여장부라 할 만큼 성격도 호탕했는데 그 분이 혼자 사시게 된 것입니다.

저는 어머니가 졸도하시는 것을 두세 번 봤습니다. 그 때 큰형이 중학생으로 서울에서 학교를 다니고 있었고 바로 위형이 초등학교 6학년, 제가 4학년, 그리고 아래 여동생이 3학년이었는데 우리 형제는 하루아침에 가장을 잃고 홀어머니 밑에서 성장하게 되었습니다.

그 때 예수를 믿는 사람은 한 사람도 없었고 교회를 나가는 사람은 저밖에 없었습니다. 오히려 아버지는 불교에 가까운 분이었습니다.

장례도 불교식으로 행해졌습니다. 그리고 49제라는 것을 지내러

가족 안에는 하나님께서 주신 놀라운 사랑이 살아있습니다

절에 가게 되었는데 저는 기분이 이상했습니다. 그래서 다른 분들은 불상에게 절하고 내려와서 탑도 돌고 하는데 저는 하기 싫어서 절도 안하고 탑도 돌지 않았습니다.

한 달에 한 번, 두 번 나가는 교회였지만 제 마음에는 예수님만이 구세주라는 생각과 하나님께서 우상에게 절하는 것을 가장 싫어하신다는 것이 어느 새 자리 잡혀 있어서 그랬나 봅니다.

친척들은 제가 자기 아버지 49제에서 절도 안하고 탑도 돌지 않는다고 굉장히 혼을 냈던 기억납니다. 하지만 그것이 저의 믿음이었습니다. 지금 생각해 보면 그런 환경 속에서도 절하지 않을 수 있는 믿음을 성령님께서 주신 것이 아닌가 생각됩니다.

내 삶의 버팀목, 어머니

아버지가 일찍 돌아가셨지만 어머니 덕분에 저희 집의 모든 사업과 생활은 아무런 문제가 없었습니다. 어머니는 굉장히 고생하셨지만 어린 저희들은 어려움 모르고 잘 자랐습니다.

어머니는 순천에서 알아주는 미인이셨고 사업수완이 대단하셨습니다. 별 재산 없이 홀로 되신 어머니는 아버지가 운영하시던 약방을 계속 하셨습니다. 사실 서른넷이면 지금은 처녀 나이입니다. 그만큼 젊고 아름다운 나이인 것이죠. 그 나이에 혼자 아이 넷을 키운다는 것은 그 사실만으로도 충분히 존경을 받을만하다고 생각합니다.

그런데 어머니는 자식들을 모두 대학까지 보내셨고 약방도 아주 잘 운영하셔서 의약품도매상으로 번창시켰습니다. 운도 따라주었다고 할 수 있겠지만 어머니의 사업능력도 보통은 넘는 것 같았습니다.

그 시절 농사짓는 사람들의 가장 큰 고민은 병충해였습니다. 거름은 있어서 농작물이 잘 자라게 할 수는 있었는데 수시로 생기는 병충해 때문에 1년 농사를 망치기 일쑤였습니다. 그러던 중에 농약이라는 것이 처음으로 나오게 되었습니다. 그 때는 농협이라든지 그런 기관이 제대로 없어서 약방에서 농약을 보급하기도 했는데 바로 아버지의 유업인 약국에서도 농약을 취급할 수 있었습니다. 농약은 순식간에 동이 났습니다. 모든 사람들이 농약을 쓰면서 드럼통에 제조한 농약을 넣어두고 병에 담아 팔았는데 하루에 드럼통으로 하나 혹은 두개씩 팔았습니다. 엄청난 양이었지요.

덕분에 물질적으로 많이 풍요롭게 되었습니다.

어머니의 사업적 능력이 여실히 드러나는 시절이었습니다. 약국은 이후로 점점 커져서 직원도 쓰기 시작했고 마침내 '승주의약품'이라는 상호를 내걸고 의약품 도매상으로까지 성장했습니다. 순천뿐만 아니라 여수를 비롯해서 경상도 진주까지 의약품을 공급하는 큰 도매상이 된 것입니다. 제 기억에 매일 아침 버스 편으로 약을 각 지역에 보내기 위해 작업했던 것 같습니다. 직원도 한 20여명 되었고 각 제약회사의 직원들도 수시로 찾아오곤 했었습니다.

지금도 기억나는 것은 제약회사 직원들이 전라도 지역에 오면 꼭 저희 집에 와서 잤습니다. 어머니께서 기숙사처럼 시설을 해 놓고 누구든 언제든지 와서 하룻밤 자고 갈 수 있도록 했기 때문입니다. 전국각지를 돌아다니는 사람들의 형편을 잘 알아서 대접한 것으로 생각됩니다.

어머니는 베풀고 돕는 것을 참 좋아하셨습니다. 가장 대표적인 것은 김장이었는데 전라도의 김치는 젓갈이 많이 들어가는 것이 특징입니다. 보통 네 가지 종류의 젓갈을 넣어서 김장을 합니다. 그런데 저희 어머니께서는 일곱 종류의 젓갈을 넣어서 담그셨습니다. 그래서 김장김치가 시간이 지날수록 더욱 깊은 맛을 냈습니다. 그것을 보통 김장독으로 스무 독 정도 담가서 그 중 다섯 독은 어려운 이웃들에게 꼭 전해주셨습니다. 겨우내 먹을 김치만 있어도 월동준비는 다 했다고 하던 시절입니다. 그 때는 어려운 사람들이 많던 시절이라 주변에 있는 많은 사람들이 저희 집 김치를 먹었습니다.

또 다른 다섯 독은 가까운 친지나 아는 분들에게 전해드렸습니다. 그리고 학생들에게도 많은 도움을 주셨습니다. 서울에 있는 좋은 대학에 들어갈 실력은 되지만 어려운 형편 때문에 등록금이 없어 못 가는 학생들이 있으면 꼭 찾아가서 등록금을 주고 격려하기도 하셨습니다.

아마 어머니는 요즘 많이 말하는 노블레스 오블리제를 실천하신 것이 아닌가 싶습니다. 어쨌든 그렇게 돕고 나누며 산 덕분인지 사업은 더욱 번창했습니다. 당시 순천에서 재산세를 내는 순위가 2위를 벗어나지 않았습니다. 경제적으로 대단한 성공을 한 것이었습니다.

그러나 저희들에겐 절대로 풍족하게 주시지 않았습니다. 홀어머니 밑에서 컸다는 것이 행여 흉이 될까 상당히 엄하게 키우셨습니다. 많이 맞기도 하고 꾸지람도 많이 들었습니다. 자식들이 모두 잘 자라게 하기 위해서 그렇게 하셨다고 알고 있습니다.

저희는 고등학교 때부터 서울에서 다녔습니다. 서울 청파동에 어머니가 집을 한 채 마련해 주어 형제들은 그곳에서 학교를 다녔습니다. 어머니는 매달 풍년호(당시 운행하던 기차의 이름-편집자 주)를 통해 각종 생활용품과 반찬거리 그리고 쌀을 보내주셨습니다. 일일이 싸고 편지도 쓰고 그렇게 정성스럽게 보내곤 하셨습니다. 솜씨가 참 좋았던 어머니의 음식은 지금도 잊을 수가 없습니다.

그 때는 밤에 통행금지가 있던 시절인데 통행금지를 알리는 사이렌이 부는 밤 12시에야 가게 문을 닫고 그것이 해제되는 새벽 4시에 가게 문을 열었습니다. 하루도 쉬지 않고 매일 같이 그렇게 하신 어머니의 부지런함과 성실함은 참 존경스럽습니다.

아버지의 유업으로 약국을 운영하고자 큰 형은 중앙대 약대에 입학했지만 저는 한양대 신방과를 들어갔습니다. 이후 저는 대학 4학년 1학기를 마치고 군대를 가 남한산성에 있는 육군종합행정학교

(EBC) 8주 헌병훈련을 받은 후 26사단에서 헌병생활을 했습니다. 당시 26사단의 사단장은 장태완 소장이라는 분이었는데 말 그대로 참 군인이셨습니다. 막강 군대를 만들기 위해 많이 애쓰시고 노력 하신 분입니다. 그분을 아는 사람들은 모두 전설적인 사람으로 기 억할 만큼 유명한 분이었습니다. 특히 26사단은 모범사단으로 선

이제는 볼 수 없지만 아내와 아들에게서 어머니의 향기를 느낍니다

정되어 있었는데 장병들의 체격과 체력이 탁월했습니다. 아침저녁으로 체력단련을 해서 가슴둘레가 매달 1cm씩 늘어나고 있었기 때문이었습니다. 만약 그렇지 못할 때는 그렇게 되도록 엄히 다스렸습니다. 도저히 그렇게 안 될 수가 없었던 훈련들이었습니다.

군대는 어디나 힘들지만 헌병대는 더욱 힘들었던 것 같습니다.

그때도 교회를 계속 다녔는데 신앙이 깊어서라기보다 너무 힘들고 졸려서 좀 자려고 나갔던 적이 더 많습니다. 그런데 교회를 가면 참 평안하구나 하는 생각이 들면서 고요한 가운데 마음의 평정을 찾을 수 있었습니다. 그렇게 해서 저의 신앙생활은 아슬아슬하게 이어져 갔습니다.

도깨비 방망이 기도의 응답 – 쫄대와 비지

1970년대 후반 제가 대학을 졸업했던 시절에는 사우디아라비아를 비롯해 중동 각지로 산업역군들이 파견되던 때였습니다. 모든 산업이 중동 때문에 일어서고 있던 때였다고 말해도 과언이 아닐 정도였습니다. 그 여파로 언론 계통도 취업이 괜찮고 기회도 많았습니다. 저는 서울에서 언론계통으로 진출하려고 준비하고 있었습니다.

그러나 어머니께서 아버지를 먼저 보내시고 자식들이라도 가까이 두시고 싶은 마음에 저에게 순천으로 내려오면 목장 부지를 하나 사 줄 테니 함께 살자고 하셨습니다.

그때 순천에서 유명한 병원 원장 장로님이 계셨습니다. 믿음도 좋고 참 훌륭한 분이셨는데 큰 교회를 섬기며 자녀들도 공부를 매우 잘해 해외에서 박사가 되어 잘 살고 있다고 했습니다. 그런데 막상 그 분이 돌아가실 때는 아무도 없이 쓸쓸히 혼자 하나님의 부름을 받고 가셨다는 이야기를 들은 적이 있어 저는 어머니 곁을 지키는 것이 옳은 것이 아닐까 싶었습니다. 결국 저는 순천으로 돌아가기로 했습니다.

당시 제 소망 가운데 하나는 큰 목장을 경영하면서 젖소도 키우고 각종 가축도 키우는 것이어서 더 망설이지 않고 내려갔습니다.

고향에 내려와 보니 어머니께서는 7정보(21,000평)의 땅을 사놓으셨습니다. 크기는 그럭저럭 목장 하기에 괜찮았으나 주변 환경을 둘러 본 저는 정말 거기 서있기 조차 싫어지고 말았습니다. 제일 먼저 화장터가 있었습니다. 그리고 인분저장고가 있었고 공동묘지에다가 좀 더 가면 나환자촌이 있었습니다. 낮에도 사람들이 무서워서 얼씬도 않는 그런 땅이었던 것입니다.

"어머니, 어떻게 이런 땅에서 목장을 해요?"

"봉혁아, 이다음에 엄마 생각 날 거야. 공동묘지들은 모두 남향으로 되어 있지 않니? 그러니 언젠가 이 땅들이 모두 개발될 거야. 목장하면서 기다려 봐."

그 말을 믿지 않았습니다. 그러나 저를 위해 그 땅을 마련해 놓으신 것이고 저도 목장을 하기 위해서 내려왔으므로 곧 일을 시작하기로 했습니다. 그래서 목장부지의 터를 닦아서 우사, 돈사를 짓고

땀과 정성과 희생으로 일군 승주목장

스무 마리 정도의 소를 사서 키우기 시작했는데 소들이 고맙게 잘 커서 곧 100마리 가까이 되었습니다.

돼지들도 잘 커서 어느 정도 목장으로서 규모가 갖춰졌습니다. 간판도 달았는데 '승주목장'으로 정하고 크게 써서 걸었습니다.

그러나 언제나 일이 잘 풀리기만 하는 것은 아니었습니다. 1979년 순천에 어마어마한 가뭄이 왔습니다. 땅은 쩍쩍 갈라지고 논밭에는 물이 한 방울도 없고 들판에 풀 한 포기가 올라오지 않는 그런 엄청난 가뭄이었습니다. 농사는 생각조차 할 수 없고 목장 하는 사람들도 풀을 구하지 못해 모든 짐승들을 헐값에라도 팔아버릴 수밖에 없는 처지에 이르렀습니다.

게다가 석유파동까지 겹쳐서 너무 어려웠던 해였습니다. 그냥 두면 소들이 다 죽어 버릴 것 같았습니다. 당시 수로를 파거나 스프링

쿨러를 설치하는 것은 상상도 할 수 없던 때였습니다.

그러나 저는 다른 사람은 안 쓰는 방법으로 그 어려움들을 극복했습니다. 바로 도깨비 방망이 기도입니다. 그 때도 교회를 나가긴 했지만 여전히 한 달에 한두 번 가는 정도였습니다. 그래서 기도도 아주 초보적이었습니다.

"하나님, 제가 목장을 해서 풀을 뜯어야 되는데 어디 가서 풀을 뜯어야 될까요?" 한 것이 전부입니다. 물론 간절하기는 했지만 생전 기도 안 하다가 그렇게 어려운 일 생기면 그 때만 그렇게 기도했습니다. 하나님을 도깨비 방망이로 알고 있던 시절이지요.

어쨌든 그렇게라도 기도하고 나서 여기 저기 돌아다니는데 순천 중심가를 지나는 동천이라고 하는 하천 위에 푸른색의 풀들이 가득 군락을 이루고 있는 것을 발견했습니다. 초지에는 물이 말라 풀이 없었지만 하천이라 아무리 가물어도 습기가 있어서 풀들이 있었던 것 같습니다. 그것은 쫄대(갈대의 전라도 사투리- 편집자 주)였는데 한 번도 소에게 먹여 본 적은 없었습니다.

그냥 혹시나 하는 마음에 쫄대를 잘라 소를 주니 매우 잘 먹었습니다. 물기도 적당하고 맛도 있고 해서 좋아했던 것 같습니다. 그래서 인부들과 순천의 쫄대를 모두 잘라왔습니다. 저희 목장의 6 ~ 70마리 소는 봄부터 여름까지 계속 쫄대만 먹고 컸습니다. 그러나 헐값에 팔지 않아도 되는 것만으로도 큰 행운이었습니다. 지금 생각하면 하나님의 은혜지만 그 때는 제가 선택을 잘한 덕이라고 생각하고 하나님은 잊어버렸습니다. 소는 그렇게 위기를 넘길 수 있었습니다.

그러나 이번엔 돼지가 문제였습니다. 모든 산업이 석유파동과 가뭄으로 인해 돼지사료도 매우 값이 올라서 구하기 어려웠습니다.

그 때 새끼 돼지 값이 보통 1,000원에서 1,500원이었습니다. 아무도 안 사간다는 말이지요.

그래서 또 기도했습니다.

"하나님, 돼지사료 구하기가 너무 어렵습니다. 너무 비싼데 싸게 살 수 있는 방법을 알려주세요. 도와주세요."

또 도깨비 방망이로 기도를 했습니다. 그런데 하나님은 놀랍게도 도깨비 방망이 같은 응답을 또 주셨습니다.

이번에는 두부공장으로 저를 인도해 주셨습니다. 두부공장에서 두부를 생산하고 나면 비지가 나왔습니다. 그 양은 실로 엄청난 것이었습니다. 산더미 같다고 표현하면 맞을 정도였습니다. 지금 같으면 비지찌개 하는 집들이 그것을 많이 사갔겠지만 그 당시에는 관심도 없는 그저 쓰레기였을 뿐입니다. 그래서 저는 그것을 아주 싼 값에 모조리 샀습니다. 돼지는 아무거나 잘 먹는 동물이니까 비지도 먹지 않겠나 싶었던 것입니다.

그것으로 돼지를 먹이니 아니나 다를까 정말 잘 먹는 것이었습니다. 돼지뿐만 아니라 소도 먹였습니다. 성분이 콩이다 보니 소에게도 좋은 양식이 되었습니다.

비록 크지는 않았지만 죽이지는 않고 유지할 수 있었습니다. 제 덕분에 주변의 돼지 키우는 사람들도 비지를 구해 돼지 키우는 데 크게 도움이 되기도 했습니다.

쫄대와 비지는 제가 처음 경험한 하나님의 큰 은혜였습니다. 그러나 저는 그 위기를 벗어난 후 하나님에 대해서는 잊어버리고 살았습니다. 놀기를 좋아해서 소 한 마리 팔면 그 돈으로 보름은 술 먹고 낚시 다니고 그렇게 즐기며 살았습니다. 목장 사업이 잘 되면 잘 될수록 저는 하나님으로부터 멀어졌습니다. 그러다 교회를 아주 안 다니게 되었습니다.

생애 첫 회개

군복무를 마치고 저는 1977년 4학년 2학기에 복학했습니다. 그 때 만난 여학생이 있었는데 숙명여대 물리학과에 다니며 학과대표를 맡고 있는 최희자라는 학생이었습니다. 서울 태생에 좋은 학교를 다니는 것에 비해 너무 수수하고 착했던 것이 마음에 들어 사귀게 되었고 졸업한 후 순천에 내려와 있다가 그 여학생과 1981년 결혼하게 되었습니다. 아내는 결혼할 무렵 인천의 모 고등학교에서 물리 선생으로 있었습니다. 그런데 우리 집안의 큰 형수와 작은 형수가 약사이고 큰 형도 약대를 졸업한 사람으로 약국을 운영하고 있으니까 자신도 약학공부를 하고 싶었나 봅니다. 그래서 아무에게도 말하지 않고 아이를 낳고도 공부를 할 수 있는 약대에 지원을 했었습니다. 저에게조차 말하지 않은 채 말입니다. 결혼식을 올리고 나서 신혼여행을 가야 할 때였는데 1월 22일이었습니다. 그날 아내는 시험을 보러 서울로 떠났습니다. 다행히 시험에는 합격해서 공부를 할 수 있게 되었는데 곧 생긴 아이 때문에 참 고생을 많이 했습니다. 그 때 생각을 하면 가슴이 많이 아픕니다. 아내에게는 감사하고 사랑한다는 말을 아무리 많이 해도 모자란다고 생각합니다.

그 때도 물론 그런 마음이었지만 겉으로 나타난 저의 삶은 그렇게 좋은 남편도 훌륭한 아빠도 아니었습니다. 아내는 서울에서 학교 다니랴 아이 키우랴 고생하고 있는데 저는 저녁마다 술에 취해 쾌락적인 삶을 살고 있었습니다.

그러다 얼마 후 큰 사고가 있었습니다. 아마 1983년 이었던 것 같습니다.

어느 날 친구가 자기가 아는 의약품 도매상이 아주 싸게 내놓은 물건이 있는데 좋은 기회니까 사라고 권해서 형에게 사정 이야기를 하고 그런 일이 가능한 것이냐고 물어봤습니다. 형은 의약품 도매상들이 부도날 즈음 그렇게 싸게 물건을 처리해 버리는 경우가 간혹 있다고 하면서 아마 안전한 물건일 것이라고 했습니다.

그래서 저와 형은 그 물건을 사들이기로 결정했습니다. 이익이 많이 남는 물건을 누가 안사겠습니까?

그런데 모든 물건은 반드시 거기에 합당한 값을 치르고 구입해야 한다는 교훈을 얻을 일이 생기고 말았습니다. 그 물건이 정상적인 물건이 아니고 장물이었던 것입니다. 너무 이상해서 조사를 해보니 다른 곳에서 훔쳐온 장물이었습니다. 저는 바로 신고를 했지만 이미 규모가 너무 커져 버린 다음이라 상당히 곤란한 입장이 되었습니다.

승주약품의 대표인 형과 직원들이 차례로 조사를 받았습니다. 저희는 결백을 주장했지만 너무 늦었습니다.

그 때 저는 어머니가 많이 편찮으시던 때라 큰 형은 어머니 곁에 있어야겠다는 생각도 들었고 제가 군 헌병대 생활을 하면서 늘 영창에서 교도관으로 근무했기 때문에 교도소에 간다면 내가 가야겠다고 마음먹고 있었습니다. 결국 저는 모든 책임을 지고 교도소 생활을 하게 되었습니다.

그 때 저는 하나님께 참으로 오랜만에 기도를 했습니다.

처음에는 "제가 왜 여기에 와야 됩니까? 제가 무슨 죄를 지었다고 여기에서 살아야 됩니까?"하는 원망만 했는데 곧 그 때까지 제가 산 생활에 대해 반성하고 진심으로 회개를 하게 되었습니다. 태어나서 처음 제가 잘못했다는 고백을 했습니다.

그리고 간절히 기도한 것이 또 있었습니다. 공부하던 아내가 여름방학을 맞아 순천에 올 때가 다 되어가고 있었던 것입니다.

"하나님, 여기서의 생활은 그럭저럭 버틸 수 있습니다. 그러나 이제 얼마 후면 아내가 다니러 오는데 그 때 남편으로서 아빠로서 그 자리에 마중 나가지 못하면 제가 뭐가 되겠습니까? 아내와 아들의 마음 또한 얼마나 아프겠습니까? 그러니 꼭 제가 먼저 나갈 수 있게 도와주세요. 살아 계시다면 저를 도와주세요. 하나님 제발이요."

쥐엄 열매를 먹다가 아버지에게로 돌아올 때 탕자의 심정이 그랬을까요? 정말로 참담한 마음이 되어 간절히 기도했습니다.

그런데 하나님은 또 한 번 놀라운 기적을 보여주셨습니다. 아버지 친구 분 중에 변호사 일을 하시던 권중희 변호사님이 계셨는데 외국에서 제 소식을 듣고 급거 귀국하여 발 벗고 도와주셨습니다. 그 분은 우리 가족이 어려울 때마다 도와주셨습니다. 진정 아버지 같은 분이셨습니다. 덕분에 정상참작도 되고 곧 석방될 수 있게 되었습니다.

그래서 토요일에 아내가 온다고 했는데 저는 금요일에 집으로 갈 수 있었습니다. 하나님께서 제 기도에 100% 응답해 주신 것입니다.

그날 여수비행장으로 마중을 나갔는데 얼마나 감개가 무량하던지요. 눈물이 나서 견딜 수가 없었습니다. 그 날 저의 이야기를 들은 아내 역시 펑펑 울음을 터뜨렸습니다.

그렇게 아내와 웅철이를 다시 만난 저는 하나님의 은혜에 깊이 감동되어 '이제부터는 방탕했던 생활을 버리고 교회생활도 하면서 잘 살아야지'라고 결심했습니다.

하지만 언제부터인가 저도 모르게 예전의 그런 쾌락적인 생활을 다시 하고 있었습니다.

하나님의 부르심과 첫 전도

교도소에서 나와 한 번도 교회를 안 나가고 성탄절 즈음이 되었습니다. 어머니가 빨리 들어오라고 해야 새벽 4시에 들어가고 그렇지 않으면 밤새는 일이 다반사였습니다.

하나님께서는 거칠더라도 정성과 진심으로 된 제사를 받으십니다
(일일찻집 풍경)

그날도 저는 술에 진탕 취해서 방에서 잠을 자다가 화장실에 가려고 겨우 일어나서 보니 옷을 입은 채로 씻지도 않고 그대로 자고 있었습니다. 그러면서 답답한 생각이 들어 창문을 활짝 열었습니다. 그 순간 갑자기 저는 30년 만에 처음 보는 것을 발견했습니다. 저희 집 주위는 눈감고 다녀도 어디에 무엇이 있는 지 다 아는데 그날 아침에 본 그것은 정말 처음 본 것이었습니다.

그것은 교회의 십자가였습니다. 그 자리에 교회가 있다는 것을 처음 보았습니다. 제 방이 2층이었는데 창문을 열면 바로 보이는 그 교회를 왜 한 번도 본 적이 없었을까 의아해 하면서 보고 있는데 그 십자가에서 예수님께서 손짓을 하며 저를 부르는 것 같은 느낌을 받았습니다. 그 날 교회를 안 나가면 크게 무슨 일이 있을 것 같은 불안감도 몰려왔습니다.

그래서 그냥 그 옷차림 그대로 부석부석한 얼굴을 하고 집을 나섰습니다. 그곳은 순천에서 하나밖에 없는 유일한 감리교회인 중앙감리교회였습니다. 들어가 보니 한 20명이나 될까 싶은 적은 수의 성도들이 앉아 있었습니다. 저는 몰래 들어가 숨어있다 나올 요량이었지만 곧 들켜버렸습니다.

어디서 왔느냐고 묻는 분에게 제 신분을 밝히기가 좀 망설여졌습니다. 왜냐하면 차림새도 단정하지 못하고 몸에서는 술 냄새가 진동을 하고 얼굴도 부스스한데 어느 집 아들이라는 소문이 나면 좀 곤란할 것 같았습니다. 그래서 그 때 광양제철이 활황기였기 때문에 광양제철에서 일한다고 거짓말을 했습니다. 그러면서 교회가 너무 작구나 하는 생각이 들었습니다. 그 다음 주에도 역시 저는 무엇에 홀린 듯 아무생각 없이 그 교회를 나갔습니다. 그 때 가서야 비로소 제가 누구이고 무슨 일을 하는지에 대해 이야기를 했습니다.

그 때 그 교회는 홍형표 라는 목사님이 담임하고 계셨는데 참 훌륭한 분이었습니다. 그분을 통해서 성경도 많이 배웠고 그 때부터 믿음이 자라났습니다

두 번째 나간 주일에 저는 교회에 가기 전 승주약국 본점 지하에서 다방을 운영하던 제 동창에게로 갔습니다. 그 친구는 다방에 오기에는 너무 이른 시간인지라 저를 놀라며 반겼습니다.

"이렇게 일찍 어쩐 일이야? 차 마시러 온 건 아닌 것 같은데?"

"오늘은 차를 마시러 온 것이 아니고 할 이야기가 있어서 좀 들렀어."

"뭔데?"

"내가 지난주에 교회를 나갔어."

"그래? 옛날에도 가끔 교회 나가긴 했잖아."

"그랬지. 그런데 요즘에는 좀 마음이 다르네. 지난주에 교회에 앉아 있는데 마음이 그렇게 편안할 수가 없더라고. 그래서 자네 생각이 나서 같이 가려고 왔어."

"내가 무슨 교회를 가?"

"자네가 어떤데? 같이 가자고. 나도 아는 사람도 없고 그러니 같이 나가서 예배 드리고 마음 수양도 하고 오자고."

그렇게 제 친구를 교회 다닌 지 두주 만에 데리고 나갔습니다. 제 기억으로는 그 친구가 제가 전도한 최초의 인물이었던 것 같습니다.

그 날 목사님은 저에게 이렇게 물었습니다.

"반 선생, 혹시 예전에 신앙생활을 했었나요?"

"네, 교회 다닌 적이 있습니다."

"그러면 우리 교회의 사회봉사부를 좀 맡아 주세요."

"사회봉사부요? 그것이 무얼 하는 덴데요?"

"어려운 사람들을 물질적으로 육체적으로 도와주는 일을 하는 곳입니다. 그리고 우리보다 더 어려운 교회들을 섬기는 곳입니다."

"그래요."

저는 어머니께서 남을 도우시던 모습을 생각해 내고 대답을 했습니다.

"그런 일이라면 해보겠습니다."

그 주는 성탄절이었는데 그 교회에서도 성탄 전야 축하예배가 있었습니다. 성극이 끝나자 동방박사가 예수님께 드렸던 것처럼 성도들도 예수님께 예물(생필품)을 드리기 시작했습니다.

어느 정도 예물이 모이자 목사님은 저에게 말씀하셨습니다.

"반 선생, 이것을 어려운 처지에 있는 교회에 나누어 주려고 하는데 차량 운행을 좀 해주시겠습니까?"

"네, 알겠습니다. 가시죠."

대답은 그렇게 했지만 이 교회보다 더 어려운 교회가 있을까 싶었습니다.

그런데 막상 돌아보니 정말 어려운 환경에서 목회를 하시는 분이 매우 많다는 것을 알게 되었습니다. 생활이 어려워 마치 거지와 같은 모습을 하고 계신 분들도 계셨고 옷이 없어서 남루한 양복 한 벌로 24시간 365일을 지내는 분도 있었고 결혼도 안 한 처녀의 몸으로 산골짜기나 다름없는 계월이라는 곳에서 모든 것 다 포기하고 영혼을 구원하려고 애쓰는 여자 전도사님도 만났습니다.

돌아보는 내내 참 안됐구나 하는 생각이 머릿속에서 떠나질 않았습니다. 그래서 주머니에 있던 돈을 나누어 드리기도 했습니다. 그러나 정작 그 분들의 얼굴은 한없이 밝아보였습니다. 참 이상한 일이었습니다. 소망도 없어 보이고 문화시설도 전혀 없는 곳에서 아무런 도움도 없이 사는데 얼굴이 그렇게 밝은 것이 이해가 되지 않았습니다.

그 날 저는 참 공허했습니다.

'나는 가진 것도 남보다 많고 가족도 있고 어려서부터 자가용 끌고 다니며 해 보고 싶은 것을 다 해보고 사회적으로도 어느 정도 알려진 사람이 되었고 물질적으로 환경적으로 부족함 없이 살았는데 왜 나에게는 저런 기쁨과 행복이 없을까.'

'도대체 나는 무엇을 하며 지금까지 살아온 것일까?'

'밤마다 술 먹고 즐기고 그러면서 살면 되는 줄 알았는데 그것이 아니구나, 도대체 나는 무엇을 했는가.'

"하나님, 저는 오늘 참 착잡합니다. 저는 이제까지 살면서 도무지 행복이란 것을 몰랐던 것 같습니다. 의미가 없는 삶을 살았기 때문인가요. 저에게 참 기쁨이 있게 해주세요. 오늘 본 분들처럼 가진 것 없어도 기뻐할 수 있는 비결을 알려 주세요."하고 저는 처음으로 마음을 다해 진실한 기도를 드렸습니다.

그러면서 계속 교회를 다녔습니다. 믿음이 아직 온전치 못했지만 저는 주님의 사랑이 조금씩 느껴지기 시작했고 언제일지는 모르지만 제가 모르는 그 기쁨을 맛보게 해 주실 것을 믿으면서 사람들을 교회로 데리고 오기 시작했습니다.

저의 전도가 본격적으로 시작된 것입니다.

저는 당시에 순천지역의 역도협회장을 맡고 있었습니다. 말이 역도 협회지 주먹협회나 다름없었습니다. 그곳에 소속된 선수는 모두 12명이었는데 역도라는 운동이 그렇게 쉽게 할 수 있는 운동이 아닙니다. 선수들도 거칠고 가르치는 사람들도 거칠었습니다. 그 중에는 지역에서 유명한 건달도 있고 사고뭉치도 있고 전과자도 당연히 있었습니다. 저는 그들에게 모두 교회에 가자고 권유했습니다. 그리고 전체 12명 중에서 11명을 교회로 데리고 왔습니다. 1명은 제가 모르는 사이 군대를 가버려서 데리고 오지 못했을 뿐 나머지는 모두 교회에 나왔습니다.

그렇게 한 명씩 두 명씩 전도를 하니 교인이 점점 늘어났습니다.

그 때 저는 생각했습니다.

'교회에 차가 한대 있으면 교인들을 데리고 오기가 참 좋겠구나.'

바로 저는 목사님께 제안을 해보았습니다.

"목사님, 교회에 차가 한대 있으면 집이 먼 사람들 데리고 오기도 좋고 여러 모로 유용할 것 같은데 한대 마련하면 어떨까요?"

당시에는 큰 교회에도 차량이 드물었던 시절이었습니다. 순천시내에 차가 있는 교회는 다섯 군데 밖에 없을 정도였습니다.

"반 집사님, 차량은 아직 우리 교회 형편에 꿈도 꾸지 못할 일입니다. 차를 사는 데 드는 돈도 돈이지만 운행 하려면 기름비도 있어야 되고 보험도 들어야 되고 그런데 아직은 어렵습니다."

그러나 저는 생각해 놓은 것이 이미 있었습니다.

"목사님, 그럼 제가 차를 구입할 돈을 한번 마련해 볼 테니 좀 기다려 보십시오."

이렇게 말을 하고 바로 저희 약국 지하에 있는 다방으로 갔습니다. 앞서 이야기 했듯 거기는 제 동창이 운영하고 있었습니다. 이제 같은 교회를 다니게 되었으니 더 돈독한 관계를 갖게 되었지요. 그분은 이제 최종표 집사가 되었습니다.

"이보게, 내가 교회 차량을 구입하고 싶은데 자네가 좀 도와주면 좋겠네."

"그러지, 도울 수 있다면 열심히 한번 도와 보겠네."

"이 다방을 하루 빌려주면 여기서 일일찻집을 열어서 돈을 좀 마련해 보려고 그래. 괜찮겠지?"

"그럼, 하루 장사 안한다고 망하는 것도 아니니 걱정 말고 하루 쓰게."

최 집사는 흔쾌히 승낙해 주었습니다.

저는 속으로 생각했습니다.

'이제 티켓을 파는 일만 남았다.'

저는 만나는 사람마다 사정이야기를 하고 티켓을 팔았습니다. 가게로 오는 제약회사 직원들에게도 10장도 팔고 100장씩도 팔았습니다. 교회에서 이런 행사를 하는데 티켓을 사달라고 했더니 모두 두말없이 사주었습니다. 사실은 강요에 의해서 억지로 사준 것과 다름없었지요. 그들은 순천에 살고 있지 않아서 그날 행사에 오는 것이 불가능했지만 그럼에도 불구하고 아무 말 않고 저를 도와주었습니다. 그렇게 모은 돈으로 저희는 17인승 승합차를 비록 중고지만 감사함으로 구입할 수 있었습니다.

그 후에도 저는 계속 목사님과 함께 전도하는 데 힘썼습니다. 목사님은 어릴 때 폐결핵을 심하게 앓아서 폐가 온전치 않다고 들었

역도협회 소속 선수 10명을 전도하게 된 계기-
순천역도연맹협회 회장 취임식

순천역도연맹협회장 시절 보디빌딩대회에 출전한 필자

는데 전혀 관계없이 열정적으로 전도했습니다. 저는 참 그 목사님을 존경했습니다. 오랫동안 함께 일하면 좋겠다고 마음속으로 생각하고 있었습니다. 그 분은 저에게 또 다른 이름 하나를 지어주기도 했습니다.

"반 집사님, 제가 집사님 호를 하나 지어 드리겠습니다."

"호요? 제가 무슨 호가 필요합니까? 이름 있으면 되지요."

"아닙니다. 꼭 필요하다는 생각이 듭니다. 나중에도 계속 하나님께 쓰임 받는 사람이 되기를 바라는 제 마음도 있으니 받으십시오."

그러면서 하나님의 은혜 안에서 절대 변하지 말고 바위같이 굳게 살라는 뜻을 가진 은암(恩岩)이라는 호를 지어 주셨습니다.

그 호를 받고 저는 더 기쁘게 봉사하고 전도했습니다.

그로부터 2년이 지나고 중앙감리교회는 총동원전도주일을 계획했습니다. 모든 성도들이 마음에 새기고 있는 전도 대상자들을 위해 기도하면서 연락을 하고 정성을 기울여 그날 데리고 나오기로 작정을 했습니다. 저도 그날에 맞추어서 많은 사람들에게 연락을 하고 전도를 했습니다.

드디어 그날이 되었습니다. 아침이 되자 너무 긴장이 되고 초조해져서 견딜 수가 없었습니다.

'아무도 오지 않으면 어떻게 하나.'

저만 그런 걱정을 하는 것이 아닌 것 같았습니다. 그런데 그 걱정은 말 그대로 기우였습니다. 사람들이 몰려들어 조그만 교회에 하나 둘 들어차기 시작하더니 곧 발 디딜 틈이 없게 되고 말았습니다. 조그만 교회에 자그마치 124명이나 왔던 것입니다. 어떻게 생각하면 많은 숫자가 아닐 수 있지만 교회를 개척해서 사모와 둘이서 시작해 본 분들은 이 숫자가 어느 정도인지 몸으로 느낄 수 있을 것입니다.

저는 하나님께 깊은 감사를 드렸습니다. 어느새 2년간의 시간이 주마등처럼 눈앞에서 천천히 지나가고 있었습니다.

'하나님, 감사합니다. 20명도 채 안 되는 교회였는데 오늘 이렇게 124명이 나왔습니다. 이 작은 교회에도 함께하시는 하나님을 믿고 감사드립니다. 하나님 정말 감사합니다.'

온 마음으로 감사를 드렸습니다.

나를 위한 십자가 2

너희가 육신대로 살면 반드시 죽을 것이로되 영으로써
몸의 행실을 죽이면 살리니
무릇 하나님의 영으로 인도함을 받는 그들은 곧 하나님의 아들이라
(로마서 8:13,14)

쥐와 함께 받은 은혜

순천 옆에 광양제철소가 있었는데 그곳은 광양시 광영동입니다. 아내는 서울에서 공부를 어렵게 마치고 약사자격증을 따서 순천으로 내려왔는데 그때에 맞춰 농장 일을 하며 형의 약국 일을 도와주던 저는 독립하게 되었습니다.

그래서 약국 자리로 쓰려고 여러 곳을 알아보다가 광양시 광영동에 좋은 자리가 있다고 해서 그곳에 개업하기로 결정했습니다.

그런데 막상 그곳을 가보니 약국하기에 그렇게 적절한 동네는 아니었습니다. 제철회사에서 일하는 사람들은 외지에서 온 사람들이 많았는데 그 사람들은 주로 혼자 살았기 때문에 술을 벗 삼아 외로운 처지를 위로하곤 했습니다. 자연히 그 곳은 술집과 각종 음란하고 퇴폐적인 쾌락을 제공하는 그런 동네가 되어 있었습니다. 꼭 소돔과 고모라 같았지요. 사람들은 싸우기를 밥 먹듯 하고 전과 1, 2

범은 보통이고 전과 10범 넘는 사람들도 어렵지 않게 찾아볼 수 있는 도시였습니다.

저는 그 곳에 도착해서 맨 처음 교회를 찾아가고 싶었습니다. 그래서 간 곳이 약국자리 앞에 있던 광영교회라고 하는 아주 작은 교회였습니다. 그 교회에는 박정환 전도사라는 분이 담임하고 계셨는데 교회 규모는 20여 평 되고 흙벽돌로 벽을 쌓았고 지붕은 스레드로 되어 있었는데 너무 낡아서 비가 샐만한 구멍들이 곳곳에 뚫려 있었습니다. 대부분의 바닥은 카펫도 없고 장판도 깔려 있지 않은 맨바닥이었고 전면에 조금 있는 마룻바닥 역시 낡아서 여기저기 삐걱거리고 구멍이 났습니다. 아주 좋게 봐주면 동에서 바람이 불면 서로 나가는 "웰빙교회"라고 할 수 있겠지만 정말 초라하기 그지없는 교회였습니다. 그러나 그런 교회도 하나님께서 함께 하시면 성장할 것이라는 믿음이 있었습니다.

한번은 예배시간에 어떤 여 집사님이 칭얼대는 아이에게 주려고 과자를 가지고 와서 바닥에 펴 놓고 하나씩 아이에게 먹이고 있었습니다. 그 순간이었습니다. 쥐 한마리가 마룻바닥 구멍에서 머리를 내밀더니 순식간에 달려들어 그 과자를 채가 버린 것입니다. 입을 벌리고 있던 아이는 갑자기 없어진 과자 때문에 울기 시작하고 사람들은 쥐를 피해 여기저기로 도망 다니고, 쥐 한 마리 때문에 예배가 난장판이 되어 버렸습니다. 그런 교회였으나 하나님의 은혜는 변함없이 나타났습니다.

저는 주일에는 순천에 있는 중앙감리교회를 나갔지만 주일 저녁이나 수요일에는 순천까지 가기가 어려워 광영교회에 나갔습니다. 광영교회에서도 저는 박 전도사님과 함께 전도에 힘써 많은 사람들을 교회로 인도하였습니다.

해질 때 부터 해뜰 때까지

저희 어머니께서는 서른 네 살의 젊은 나이에 아버지를 여의고 홀로 저희 3남 1녀를 남부럽지 않게 잘 길러주셨습니다. 그런데 그 사랑하는 어머니가 당뇨로 인하여 생사의 갈림길에 놓이게 되었습니다.

아내도 약사고 형수들도 모두 약사고 저희 집은 의약도매를 했고, 온통 약사 집안인데 어머니를 고치지 못했습니다. 어머니의 병은 날로 깊어져서 눈이 잘 보이지 않게 되었습니다. 저는 당뇨로 인해 시력이 떨어진 증상에 살아있는 쥐를 잡아 푹 고아서 국물을 먹으면 좋다는 소리를 듣고 실제로 살아있는 쥐를 잡아 껍질을 벗기고 푹 고아서 어머니께 드리기도 했습니다. 그리고 큰 형은 당뇨 때문에 어머니의 신장이 약해져서 기능이 제대로 되지 않자 자신의 신장을 이식해 주려고 검사도 받았으나 잘 맞지 않아 실행에 옮기지 못하기도 했습니다. 작은 형은 전국을 돌아다니면서 좋다는 약재란 약재는 다 구해다가 어머니께 드렸습니다. 막내도 어머니가 병원에 입원하거나 거동이 불편하면 늘 옆에서 간호에 온 정성을 다 쏟았습니다. 전 가족이 어머니의 쾌유를 위해서 할 수 있는 일을 다 했던 셈입니다.

박정환 목사님은 성령의 능력과 기도의 위력을 가르쳐주셨습니다

그 당시 어머니의 병 낫는 것이 저에게는 큰 숙제였습니다. 이대로 돌아가시면 안 되는데 하는 안타까움이 언제나 마음에 자리 잡고 있었습니다.

그 즈음이었습니다. 제가 다니던 광영교회 박정환 전도사님은 저에게 하나님의 은혜를 체험하게 해주려고 참 많은 도움을 주셨습니다. 기도도 많이 해주시고 좋은 이야기도 많이 해주셨습니다.

하루는 전도사님이 저를 부르셔서 이렇게 말씀하셨습니다.

"성령님께서 어떻게 역사할지 모르니까 오늘 기도할 때 절대로 눈을 뜨지 말고 무슨 일이 있어도 계속 기도만 하세요."

그래서 저는 알았다고 하고 자리에 앉아 있었습니다.

그리고 기도하는 시간이 되었는데 전도사님이 모두 손을 들고 기도하자고 해서 손을 들고 기도하기 시작했습니다.

그런데 정말 놀라운 일이 벌어졌습니다.

뭔가 따뜻한 느낌이 손에 전해지면서 제 손을 꽉 붙드는 것이었습니다.

'이것이 성령님인가?'

계속 기도했습니다. 놀랍기도 하고 신기하기도 했습니다.

그러다 힘이 빠져 손이 점점 내려가는데 갑자기 어떤 힘이 그 손을 위로 확 잡아채듯 치켜세우는 것입니다. 그런데 그것이 반복되었습니다. 힘이 빠지면 다시 올라가고 내려가려면 다시 올라가고 ……

그렇게 한 30분 기도를 했습니다. 너무 힘이 들고 지쳐서 살며시 눈을 뜨고 위를 올려다봤습니다.

그런데 이게 웬일입니까?

바로 박 전도사님이 제 두 팔을 붙들고 땀을 뻘뻘 흘리면서 서 계신 것이 아닙니까?

제가 기도를 멈추지 않고 어떻게든 하나님의 은혜를 체험할 수 있기를 간절히 바라는 마음에서 그렇게 들고 계셨던 것입니다.

지금도 그 일을 생각하면 한편으로는 웃음도 나지만 한 마리의 양을 하나님께 조금이라도 더 가깝게 다가가게 하려고 노력하신 마음과 그 사랑에 참 감사하게 생각하고 있습니다.

그 전도사님이 이번에는 철야부흥회를 한다고 꼭 참석하라고 말씀하셨습니다. 당시의 철야 부흥회는 저녁 7시부터 다음 날 새벽 6시까지 계속되곤 했습니다. 그래서 신앙이 별로 두텁지 못했던 저로서는 그 부흥회에 참석한다는 것이 사실 어려운 일이었습니다. 통성으로 기도한다는 것도 익숙지 않은 시절이었습니다. 그래서 몇 번 거절을 했습니다.

그런데도 박 전도사님은 더 간곡히 부탁을 하는 것입니다.

"그냥 가도 좋으니까 꼭 오기만 하세요. 왔다만 가시면 뭐라 하지 않을 테니 꼭 오기만 하세요."

그래서 더 거절하는 것은 그 고마운 분에게 할 짓이 아니다 싶어 가겠노라고 말씀드리고 철야부흥회에 참석하게 되었습니다.

대표기도와 설교가 끝나고 이제 통성기도 할 시간이 되었습니다. 저는 '통성기도가 시작되면 나가야지' 생각을 했습니다. 그리고 머리를 숙여 기도하기 시작했습니다. 그날따라 통성기도가 좀 길어지는 것 같았습니다. 중간에 몰래 나가려고 눈을 뜬 저는 깜짝 놀라고 말았습니다.

할머니 권사님들이 제가 나가지 못하도록 저를 빙 둘러 앉아 버린 것입니다. 그래서 가지도 못하고 앉아 있을 수밖에 없었습니다. 마음과 상관없이 억지로 기도하게 되었습니다.

그런데 새벽 2시경부터 갑자기 뜨거운 성령 세례가 저에게 임했습니다. 정말 부족한 저에게 하나님께서 은혜를 허락하셨던 것입니다. 입에서는 방언이 터져 나오고 눈물 콧물을 흘리며 교회 마룻바닥을 뒹굴며 회개 했습니다. 정말 성령의 체험을 하게 된 것입니다. 2천 년 전 예수님이 돌아가신 것이 바로 '나'를 위해서, 부족한 '나'를 살리기 위해서 그렇게 돌아가셨구나 하는 깨달음과 구원의 확신을 얻게 되었습니다.

냉랭했던 제 신앙이 성령으로 말미암아 뜨거운 도가니 같이 된 것입니다. 그때부터 제 인생의 방향은 바뀌게 되었습니다.

지금껏 어머니 목숨을 살려달라고 기도한 적은 있었지만 어머니 구원 받게 해달라고 기도한 적은 없었습니다. 지금 사는 이세상보다 죽은 후에 가는 곳이 훨씬 중요하다는 것을 알게 된 것입니다. 그리고 그곳은 영원하다는 것도 알게 되었습니다. 인생 70년, 80년 살다 가는데 조금 더 살면 어떻고 조금 덜 살면 어떻습니까, 그것보다 영원한 천국의 생명을 얻는 것이 중요한 것이라는 걸 깨달았던 것입니다.

눈을 떠보니 새벽 6시였습니다. 한 30분 된 것 같은데 이미 4시간이 흘러버린 것입니다. 그날 정말 큰 은혜를 체험했습니다.

부자와 나사로

특별히 그날의 말씀 중에서 누가복음 16장 19절부터 31절까지의 말씀이 제 마음속에 깊이 새겨졌습니다.

"한 부자가 있어 자색 옷과 고운 베옷을 입고 날마다 호화롭게 즐기더라 그런데 나사로라 이름 하는 한 거지가 헌데 투성이로 그의 대문 앞에 버려진 채 그 부자의 상에서 떨어지는 것으로 배 불리려 하매 심지어 개들이 와서 그 헌데를 핥더라 이에 그 거지가 죽어 천사들에게 받들려 아브라함의 품에 들어가고 부자도 죽어 장사 되매 그가 음부에서 고통 중에 눈을 들어 멀리 아브라함과 그의 품에 있는 나사로를 보고 불러 이르되 아버지 아브라함이여 나를 긍휼히 여기사 나사로를 보내어 그 손가락 끝에 물을 찍어 내 혀를 서늘하게 하소서

내가 이 불꽃 가운데서 괴로워하나이다 아브라함이 이르되 얘 너는 살았을 때
에 좋은 것을 받았고 나사로는 고난을 받았으니 이것을 기억하라 이제 그는
여기서 위로를 받고 너는 괴로움을 받느니라 그뿐 아니라 너희와 우리 사이에
큰 구렁텅이가 놓여 있어 여기서 너희에게 건너가고자 하되 갈 수 없고 거기
서 우리에게 건너올 수도 없게 하였느니라 이르되 그러면 아버지여 구하노니
나사로를 내 아버지의 집에 보내소서 내 형제 다섯이 있으니 그들에게 증언하
게 하여 그들로 이 고통 받는 곳에 오지 않게 하소서 아브라함이 이르되 그들
에게 모세와 선지자들이 있으니 그들에게 들을지니라

이르되 그렇지 아니하니이다 아버지 아브라함이여 만일 죽은 자에게서 그들
에게 가는 자가 있으면 회개하리이다 이르되 모세와 선지자들에게 듣지 아니
하면 비록 죽은 자 가운데서 살아나는 자가 있을지라도 권함을 받지 아니하리
라 하였다 하시니라"(개역개정)

이 말씀은 천국과 지옥이 있다는 것과 특별히 지옥의 고통스러
운 광경을 자세하게 말해주고 있습니다. 그리고 전도자의 사명이
어마어마하게 크다는 것을 깨닫게 해 줍니다.

잘 알다시피 내용은 어떤 부자와 거지 나사로의 이야기입니다.

거지 나사로는 비록 이 세상을 살면서 여러 가지로 힘들게 살았
지만 짧은 인생을 하나님의 뜻대로 살다가 아브라함의 품, 즉, 하나
님의 품에 안겼고, 부자는 이 세상에 살면서 조금도 남을 위해 베풀
지 못하고 오직 자신의 욕심과 정욕대로 살다가 음부의 고통, 곧 지
옥의 불꽃 속에서 울부짖고 있는 내용입니다.

우리는 천국에 대해서는 자주 이야기하면서 지옥에 대해서는 잘
이야기하지 않습니다. 지옥에 대해 말하면 좀 무식해 보이기도 하
고, 이야기를 잘 못하면 전도대상자가 이상한 사람으로 오해할 수
있지 않을까 우려도 되어 그런 것 같습니다.

그러나 성경에는 지옥에 대해서 분명하게 말씀하고 있습니다. 이 부자와 나사로의 이야기에도 확실하게 묘사되어 있습니다. 그 부자가 얼마나 지옥이 고통스러우면 24절에 "아버지, 아브라함이여, 내가 불꽃 가운데서 고민하고 있나이다."라고 말하고 있습니까. 얼마나 뜨거우면 물 한 주전자도 아니고, 한 컵도 아니고, "손가락 끝에 물 한 방울만 찍어서 내 혀를 서늘하게 하소서."라고 간절한 마음으로 구하고 있겠습니까.

5공, 6공 때 많은 젊은이들이 정부에 반대하면서 분신자살을 시도했습니다. 그 때 사건을 맡았던 담당 검사가 하는 이야기를 들은 적이 있는데 데모했던 사람들이 아무리 의협심이 강하고 의지가 굳은 사람들이라 할지라도 분신할 때 그 불꽃 속에서는 단 한마디 "불 꺼!" 이 말만 한다고 합니다. 얼마나 뜨거우면 그렇겠습니까? 그런데 그 뜨거운 불꽃 속에서 죽지도 않고 그런 고통이 계속 된다고 생각해 보십시오. 얼마나 극심한 고통이겠습니까? 요리하다가 식용유만 좀 튀어도 난리가 나지 않습니까? 불이란 것은 참으로 무섭습니다. 전라도 사투리로 '수루미' 라고 하는 것이 있는데 이것은 말린 오징어를 뜻합니다. 불은 수루미도 오그라들게 만드는 것입니다. 죽어 있는 수루미도 오그라드는데 살아 있는 생물이 불에 태워진다고 생각을 해 보면 얼마나 고통스럽겠습니까?

사람은 누구나 죽습니다. 권력이 있는 사람도 부자도 가난한 사람도 다 죽습니다. 그리고 그 후엔 심판이 있고 천국과 지옥이 있을 뿐입니다. 지금은 얼마나 좋은 세상인지 돈만 있으면 초정리 광천

수도 먹을 수 있고, 제주도 생수도 먹을 수 있고, 심지어는 로키산맥의 생수까지 먹을 수 있는 세상입니다. 그러나 그것은 살아 있을 때의 이야기입니다. 죽고 나면 누가복음에 나오는 부자처럼 단 한 방울의 물도 먹을 수 없다는 것입니다. 지옥은 전도할 때 꼭 이야기해야 할 사실입니다.

모세와 선지자로 살겠습니다

또 그 부자가 고통을 견디다 못해 28절에 "그러면 아버지여 구하노니 나사로를 내 아버지의 집에 보내소서 내 형제 다섯이 있으니 그들에게 증언하게 하여 그들로 이 고통 받는 곳에 오지 않게 하소서"라고 간절히 부탁하는 장면이 있습니다.

그러면서 30절에 "아브라함이여 만일 죽은 자에게서 그들에게 가는 자가 있으면 회개하리이다"라고 말합니다.

그러나 아브라함의 대답은 희망적이지 못합니다. 31절입니다.

"모세와 선지자들에게 듣지 아니하면 비록 죽은 자 가운데서 살아나는 자가 있을지라도 권함을 받지 아니하리라 하였다 하시니라"

세상에 살아 있는 동안 믿지 않고 죽은 사람들에게 다시 돌아가서 뭐라고 한다고 믿을 리 없다는 말씀입니다. 모세와 선지자들의 말을 들어야 한다는 것입니다.

저는 그 때 그 모세와 선지자가 '내 자신'이 되어야겠다는 생각을 하게 되었습니다. 이 말씀을 통해 은혜 받은 그 때부터 곳곳을

광양은 신앙과 사업의 모태와 같은 곳입니다

돌아다니며 복음을 전파하기 시작했습니다.

가는 곳 마다 예수님이 우리의 구세주라는 말씀을 전하지 않고는 견딜 수 없는 뜨거운 열정이 내 가슴을 타오르게 했습니다.

하루는 상여가 지나가는 것을 보고 있는데 순간 하나님의 음성이 들리는 것 같았습니다.

"반 집사야, 네가 3일만 먼저 전도했더라면 저 사람이 구원을 얻었을 텐데 왜 전도하지 않았느냐?" 이 말씀은 지금도 제 가슴을 치고 있습니다. 그래서 혹시라도 제가 전도할 수 있는데 전도하지 않아 구원 받지 못하는 사람이 없기를 기도하면서 열심히 전도하게 되었습니다.

그 이후에 적게는 한 해에 30명, 많게는 70명씩 전도하면서 오늘

날 까지 약 1천명의 영혼들이 저를 통해 구원 받고 각각 섬기는 교회에서 충성하고 있는 모습을 보게 되었습니다. 하나님의 놀라운 축복이 아닐 수 없습니다.

또 하나님은 지금까지 두 교회를 개척할 수 있도록 하셨고 세 교회의 성전을 건축할 수 있는 은혜도 주셨습니다.

그리고 초교파적으로 많은 교회를 섬기며, 특별히 낙도복음선교회에 참여하여 교회가 없는 15개 섬들을 직접 배를 몰고 다니며 복음을 전하게도 하셨습니다.

복음 헌병으로

저는 전도할 때 불교, 무속신앙, 이단종교에 빠져 있는 사람들을 보면 바로 가서 전도했으며 교회를 다니다가 낙심한 사람들도 그냥 지나치지 않았습니다. 심지어 저를 전도하기 위해 집에 찾아 왔던 여호와의 증인 세 가정을 6개월 정도 쫓아다니면서 전도해 교회에 정착하게 만들기도 했습니다.

그 여호와의 증인과 한창 설전을 하다가 마침내 그 분이 당시 집사였던 저에게 이런 제의를 했습니다.

"집사님, 제가 질문을 드릴 테니까 그 질문에 답을 잘 하시면 저도 교회에 나가겠습니다."

저는 순간 두려움이 몰려왔습니다.

'내가 아는 것도 많지 않고 교리적으로 공부를 한 것도 아닌데 이 사람의 질문에 대답을 잘 할 수 있을까?'

'혹시나 말을 잘못해서 이 사람이 영원히 예수를 안 믿으면 어떡하나'

그래서 눈을 뜬 채로 속으로 기도했습니다.

'하나님, 성령이 임하면 권능을 받는다고 했는데 제가 권능을 받고 이 사람들과 이야기하는 도중에 하나님의 지혜로 도움 받을 수 있도록 해주세요.'

그 분이 저에게 물었습니다.

"왜 교회 다니는 사람들은 성경에 대한 지식이 그렇게 없습니까? 그런 상태로 어떻게 구원을 얻을 수 있습니까? 아는 것이 하나도 없으면서 도대체 무엇으로 구원을 얻는다는 말입니까?"

제가 대답했습니다.

"선생님, 당신들이 보는 성경에는 예수님이 십자가에 달리실 때 그 양편에 강도가 함께 매달렸던 사건이 기록되어 있습니까?"

"네, 있습니다."

"그러면 그 중 한 강도가 예수님과 함께 낙원에 이를 것이라는 말도 있습니까?"

"네, 그것도 있습니다."

"그러면 제가 한 가지 묻겠습니다. 그 강도는 예수님을 만난 것 외에 성경에 대한 지식이 조금이라도 있었습니까?"

"그건 아니지요."

"그렇습니다. 구원은 예수님께서 하나님의 아들로서 우리의 죄를 대신 지고 십자가에서 돌아가심으로 해결하셨다는 것을 믿는 것과 입으로 인정하는 것으로 받는 것입니다. 지식으로 받는 것이 아니지요."

제 말이 끝나기가 무섭게 그 여호와의 증인은 또 다시 질문했습니다.

"또 한 가지 질문을 하겠습니다."

"네, 얼마든지 하십시오."

"성경에 거짓말이 한 가지 있습니다. 그것은 예수님이 재림할 때 번개가 동편에서 나서 서편까지 번쩍임같이 이루어 질 것이라고 했는데 그건 틀린 말이라고 생각합니다. 예를 들어 하늘에 구름이 있다고 합시다. 구름이라는 것이 순천 하늘에 떠있다고 해도 여수만 가도 안보이지 않습니까? 그런데 어떻게 모든 사람이 다 보는 데서 예수님이 재림할 수 있겠습니까?"

저는 잠시 당황했습니다. 맞는 말이었기 때문입니다. 속으로 기도했습니다. 하나님은 지혜를 바로 주셨습니다.

"구름이라고 생각하니까 그렇지요. 그것이 지금 창 밖에 떠 있는 달이라고 생각합시다. 순천 하늘에 있는 달이 여수에 간다고 안보입니까? 여수에는 다른 달이 뜨나요?"

"아니지요."

"예수님이 그렇게 나타나실 것이라는 말씀 아니겠습니까? 여기서 뜨는 달이 미국에서도 중국에서도 볼 수 있는 바로 그 달 아니겠습니까?"

그 후에도 몇 가지 질문을 했지만 하나님의 은혜로 다 잘 대답할 수 있었습니다. 그 여호와의 증인은 그 후에 곧 교회를 나가게 되었습니다.

저는 계속해서 그런 이단종파에 빠져 있고 죄악에 빠져 있는 사람들을 보면 꼭 전도를 했습니다. 그래서 사람들이 저에게 "복음헌병"이란 별명을 붙여 주었습니다. 원래 헌병출신이기도 했지만 죄인을 잡는 헌병 같다는 뜻이었습니다.

지금도 저에게 가장 기쁜 일은 전도하는 것입니다. 전도할 때는 신이 나고 없던 힘도 막 생기는 것 같습니다. 그것은 하나님이 전도하는 것을 기뻐하시기 때문일 것이라는 생각을 해봅니다.

그런데 요즘은 교회에서도 전혀 예수님을 믿지 않는 불신자들을 전도하는 실제 전도가 아니라 교회에 다니다가 나가지 않거나 다른 교회에 다니는 사람들을 인도하는 경우가 많습니다. 물론 전체가 다 그런 것은 아니지만 주변에 아파트가 하나 생기면 자신의 교회로 인도하기 위해 혈안이 되는 경우를 종종 볼 수 있습니다. 그것은 절대 하나님이 기뻐하시는 일이 아닐 것입니다.

로마서 15장 20절에도 이런 구절이 있습니다.

> "또 내가 그리스도의 이름을 부르는 곳에는 복음을 전하지 않기로 힘썼노니 이는 남의 터 위에 건축하지 아니하려 함이라"

저는 이런 생각 때문에 꼭 믿지 않는 사람들에게만 전도합니다. 그리고 우리 교회로 나오라고 하지도 않습니다. 가까운 교회에 나가면 된다고 생각합니다. 이것이 제가 전도하는 첫 번째 원칙입니다.

그리고 두 번째 원칙은 교단을 초월해 활동한다는 것입니다.

저는 감리교단에 속해 있지만 이단이 아니고 하나님의 말씀을 들을 수 있는 곳이라 생각되면 그들이 사는 근처 교회로 인도해 주고 있습니다. 뿐만 아니라 시각장애 등 신체적 장애를 가진 목사님이 시무 하는 8개의 어려운 타 교단의 교회를 직접 섬기고 있습니다. 순천지역에 가면 저는 "초교파 장로"라고도 불립니다.

사랑의 200리 - 어머니를 위한 2박3일 금식행군

은혜 받은 후 저는 TV에서 "사랑의 200마일"이라는 영화를 보았습니다. 제목이 정확하지는 않습니다만 날 때부터 장애를 갖고 있는 딸을 어머니 없이 경찰관인 아버지가 혼자 키우는데 딸이 마침 회복이 어려운 병에 걸려 곧 죽게 되었습니다. 이에 아버지가 딸을 살리려고 직장에 휴가를 내고 한달 동안에 200마일을 달리는 내용이었습니다.

주인공 아버지는 달리는 내내 하나님께 딸을 살려달라고 기도했습니다.

저는 그것을 보다가 순간 쏟아지는 눈물을 주체할 수가 없었습니다. 그 아버지의 마음이 이해가 되고 아픈 딸이 얼마나 힘들까 느껴지면서 북받쳐 오르는 감정과 눈물을 억제할 수 없었습니다. 그런 아버지의 정성 때문이었는지 딸은 기적적으로 회복이 되었습니다.

하나님, 어머니를 살려주세요 그리고 아내가 구원을 받고 중앙감리
교회가 크게 부흥하게 해주세요. 이제 출발합니다

해피엔딩이었죠.

그것을 보고 나서 저는 '나도 일생동안 자식들을 위해서 홀로 고생하며 헌신했던 우리 어머니를 살릴 수만 있다면 저렇게 한 번 해보고 싶다.'는 생각을 하게 되었습니다.

그러면서 어머니 건강뿐만 아니고 다른 기도제목도 함께 가지고 저렇게 한 번 해보자고 마음먹었습니다. '원래 달음박질을 잘 못했으니까 걸어서라도 가보자'그렇게 결심을 했습니다.

그래서 기도제목을 세 가지로 정했는데 첫 번째 기도제목은 어머니의 회복과 구원이었습니다. 당뇨로 너무 고생하시는 어머니를 위해 뭐라도 해 보고 싶었습니다. 그리고 꼭 예수 믿고 구원 받아서 나중에 천국에서 만나고 싶었습니다.

두 번째 기도제목은 아내의 구원이었습니다. 아내는 참 좋은 사람이었지만 예수 이야기만 하면 알레르기 반응을 보였습니다. 그리고 교회에 가자면 날카로워지는 아내에게 꼭 예수님을 소개하고 싶었습니다.

세 번째 기도제목은 중앙감리교회의 부흥이었습니다.

아마 지금 같았으면 교회의 부흥부터 기도제목으로 정했겠지만 솔직히 그때는 어머니가 가장 급한 기도였습니다.

그렇게 기도제목을 정하고 걸어야 할 길을 정했는데 200마일은 제게 무리라고 생각되어 우리 식으로 200리 정도로 정했습니다.

첫날 광양시 광영동을 출발해서 광양 시내를 거쳐 순천으로 들어갔다가 하루를 자고 여수로 가서 여수 시내를 순례하고 또 하루를

잔 후 마지막 날 여수 돌산 평사리 계동에 갈릴리교회라고 역사가 오랜 감리교회가 있었는데 그 곳까지 가는 것으로 일정을 잡았습니다.

그리고 저는 뛰지도 않고 긴 거리도 아니라 생각했기 때문에 금식을 하기로 했습니다. 제가 먹는 것을 너무 좋아하다 보니 밥 굶을 일이 거의 없는데 가장 좋아하는 것을 참으면서 하나님께 한 번 간절히 기도해보자 하는 생각이 들었습니다.

그렇게 굳은 약속을 하고 운동도 열심히 하면서 그 날을 준비하는 기도도 시작했습니다.

그런데 참 놀라운 것은 그 순간 마귀의 방해도 함께 시작되었다는 것입니다. 시작 전부터 열병이 오기 시작했습니다. 병이라고는 모르고 살았던 제게 갑자기 닥친 열병은 저를 잠시 머뭇거리게 했습니다. 병원에서는 유사 장티푸스라고 했습니다. 저희 집은 약국이기 때문에 그럴 때 먹는 약이 얼마든지 있었습니다. 그러나 저는 약을 먹지 않았습니다. 하나님께서 주시는 힘으로 이겨 내고 싶었던 것입니다. 그래서 저는 그 때 마음을 다잡고 계획을 미루지 않고 실행하기로 했습니다. 신약과 구약, 하나님의 말씀을 약으로 생각하고 기도하면서 준비했습니다.

계획한 날 하루 전부터 저는 금식을 시작했습니다. 4월 5일이었지요. 그리고 출발하기로 한 4월 6일이 되자 몸이 조금 회복된 것 같았습니다. 그러나 계속 열이 나고 있었습니다. 저는 십자가를 지신 예수님을 생각하면서 배낭에 책을 잔뜩 집어넣었습니다. 몰론 십자가보다는 훨씬 가벼웠지만 조금이라도 예수님의 고난에 동참하고 싶은 마음이 있었습니다. 그리고 예수님의 가시면류관 대신 등산 모자를 쓰고 오랜 시간 걸을 것에 대비해서 양말도 두 겹으로 신었습니다. 현관으로 나와서 신발을 고르는데 등산화를 신을까 하다가 좀 무겁겠다 싶은 생각이 있어서 운동화를 선택했습니다. 이젠 준비를 끝내고 집을 나왔습니다.

아내는 몸이 아프고 열도 나는데 오늘 안 가면 안 되냐고 말했습니다. 그리고 비도 오는데 다음에 하면 안 되겠냐고 만류했지만 저는 뿌리치고 출발했습니다.

노래를 잘 못해서 아는 노래도 별로 없고 찬송가도 많이 몰랐지만 그때 찬송가 355장 '부름 받아 나선 이 몸'이 생각나서 계속 불렀습니다. 이 찬송은 이후 전도할 때마다 늘 부르게 되었습니다.

부름 받아 나선 이몸 어디든지 가오리다
괴로우나 즐거우나 주만 따라 가오리니
어느 누가 막으리까 죽음인들 막으리까

아골 골짜 빈들에도 복음 들고 가오리다
소돔 같은 거리에도 사랑안고 찾아가서
종의 몸에 지닌 것도 아낌없이 드리리다

존귀영광 모든 권세 주님 홀로 받으소서
멸시천대 십자가는 제가 지고 가오리다
이름 없이 빛도 없이 감사하며 섬기리다

그 곡을 부르면서 광양제철소를 지나 제철주유소가 있는 근처에 다다랐습니다. 출발지로부터 약 3Km정도 되는 곳이었습니다. 몸이 좀 가볍다 싶어서 잘 생각해 보니까 신기하게도 열이 없어진 것이었습니다. 머리도 아프지도 않고 온 몸이 날아갈 듯했습니다. 열병은 그렇게 물러갔습니다.

계속 걸어서 광양 시내에 들어섰습니다.

그 때부터 잊혀지지 않는 4월 6일의 악몽이 시작됩니다.

바로 그 날은 광양의 장이 서는 날이었습니다.

그날따라 비는 주룩주룩 내렸는데 그래서인지 장터에는 순대, 풀빵, 찐빵, 만두 등에서 오르는 김이 더욱 선명하게 보였습니다. 음식 냄새마저 코를 찌르니 그야말로 회가 동하는 듯 배가 고프기 시작했고 식욕이 물밀듯 밀려왔습니다.

그 길을 지나기가 너무 힘들어서 하나님께 기도했습니다.

'하나님, 제가 절대로 다른 것은 먹지 않고 물만 먹겠습니다.'

마침 곰탕집 앞을 지나게 되었는데 구수한 냄새가 저의 발을 멈춰버리게 했습니다. 그렇게 맛있는 곰탕 냄새를 맡아본 적이 없었습니다.

또 기도했습니다.

'하나님, 제가 물만 먹겠다고 했으니까 곰탕 국물만 좀 먹을게요, 건더기는 절대로 먹지 않겠습니다.'

그렇게 다짐 겸 굳은 기도를 하고 곰탕집으로 들어섰습니다.

그리고는 곰탕 한 그릇을 시켜 놓고 보니까 어디 그게 뜻대로 되겠습니까?

국물만 먹겠다고 했는데 저도 모르게 '에라 모르겠다.' 밥을 한

공기도 아니고 그 전날 금식한 것 까지 다 합쳐 계산해 무려 세 공기나 말아 먹어버렸습니다.

정말 정신없이 게걸스럽게 먹었습니다.

죄는 모양이라도 버리라고 했는데 지금 생각해도 유혹을 떨쳐내지 못해 참 잘못했다는 생각이 듭니다.

곰탕집을 나와 광양에서 순천으로 향했습니다. 순천을 가려면 다리를 하나 건너야 하고 곧 나타나는 군부대를 지나야 합니다. 그쯤에서 배가 아프기 시작하더니 갑자기 위경련이 아주 심하게 왔습니다. 비가 오는 데도 길거리에서 뒹굴 정도였으니까 얼마나 심했는지 상상이 될 것입니다. '하나님과 한 약속을 지키지 않았더니 하나님이 좋아하시지 않는구나' 하는 생각이 들었습니다. 너무 아파 뒹굴면서 기도했습니다.

'하나님, 잘못했습니다. 너무 아파서 걸을 수가 없습니다. 그런데 하나님 제가 배가 고프면 걸을 수 없는 것을 아시지 않습니까? 오늘만 먹고 내일은 마저 금식할 테니까 용서해 주세요. 이 손을 뗄 때 아프지 않으면 계속 걸으라는 신호로 알고 계속 걷겠습니다.'

그리고 손을 뗐는데 그 순간 정말 거짓말 같이 배가 아프지 않았습니다. 그래서 계속 걷기 시작했습니다.

그러나 조금 가다가 다시 위기가 찾아 왔습니다. 제가 그 날 운동화를 신고 출발을 했는데 비가 오니까 운동화가 다 젖고 발이 불어 발뒤꿈치가 다 쓸려버렸던 것입니다. 온통 피투성이가 되어 똑바로 걷지도 못하고 옆으로 어기적거리며 겨우 걸음을 옮기고 있었는데

기도는 하나님과의 만남이고 대화입니다

'이렇게 가다가는 더 이상 못 걷겠구나.' 하는 생각이 들었습니다. 굳은 결심을 하고 어머니를 위해 그리고 아내와 교회를 위해 기도한다고 호기 있게 나섰는데 딱 하루 걷고 보기 좋게 떨어져 버리겠구나 생각하니 한심하기 그지없었습니다. 덕내리 라고 하는 곳에 이르러 그런 생각을 하면서 비척비척 순천을 향해 옆으로 걸어가고 있었습니다.

그때였습니다. 차 한대가 다가와서 서는데 보니까 아내가 타고 있었습니다. 아내는 뒤꿈치가 다 까져서 피투성이가 된 발을 보더니 그만 울음을 터뜨리고 말았습니다.

"여보, 내가 교회 나갈 테니까 그만 하고 가요, 제발 그만 하고 같이 가요."

자기 때문에 걷고 있는걸 아니까 엉엉 울면서 그렇게 말했던 것입니다.

그러나 사람도 아니고 하나님과 한 약속을 한 번도 아니고 두 번씩이나 어길 수는 없었습니다. 그래서 계속 걷겠다고 했습니다. 어쩌면 고집이었는지 모릅니다. 방금까지도 못가겠다 생각하다가 막상 아내가 나타나니까 별 문제 없다는 듯 고집을 피운 건지도 모르겠습니다. 어쨌든 그렇게 말하고 계속 가려는데 아내가 내미는 게 하나 있었습니다. 그것은 놀랍게도 등산화였습니다. 제 발이 다 까져서 걸을 수가 없을 지경이라고 누구에게 말 한 적도 없는데 아내는 어떻게 알았는지 등산화를 가지고 왔던 것입니다. 저는 그저 놀라울 뿐이었습니다.

'아! 하나님께서 계속 걸어서 마저 기도를 끝내라고 하시는 뜻이구나.'

등산화를 신고 똑바로 걸을 수 있었습니다. 하나님께서 함께 하신다고 생각하니 통증도 사라지는 듯 좀 더 가벼운 느낌이었습니다.

조례 사거리라는 곳에서 승주군 해룡면 쪽으로 발걸음을 옮겼습니다. 비가 와서 날이 좀 빨리 어두워졌습니다. 그곳에는 이번 여정의 가장 어려운 코스인 해룡면 월전을 지나면서 검단재라고 하는 고갯길이 버티고 있었습니다. 저녁 6시경으로 기억됩니다. 차를 가지고 다닐 때는 눈 깜짝할 새 지나곤 했던 길인데 무거운 배낭을 짊어지고 아픈 다리로 걸어서 넘으려니 그렇게 힘들 수가 없었습니다. 겨우 한 걸음씩 떼고 있는데 갑자기 다리에 경련이 일면서 통증이 왔습니다. 그리고 그 자리에 주저앉아 버렸습니다. 잠시 쉬다가 '그래도 가자. 가기로 한 길이니까 아무리 힘들어도 가자.' 하는 생각과 함께 엊그제 출발하기 전 홍형표 목사님께서 기도해 주신 말이 생각났습니다.

'하나님, 반 집사가 어머니와 아내와 교회를 위해 기도하러 떠납니다. 그가 하나님과 약속을 한 것이니 꼭 걸을 수 있도록 도와주십시오. 만약 걸을 수 없다면 기어서라도 꼭 목적지까지 다 갈 수 있도록 힘주십시오.'

'그래, 기어서라도 가자.'

그 말씀이 생각나자마자 기어가기 시작했습니다. 시골 장에 가면 가끔 무릎 아래에 고무를 대고 기어 다니며 구걸하는 사람들을 보곤 했었는데 그렇게 기어가기 시작했습니다.

비도 오는데 왜 그렇게 눈물은 흐르는지요. 한참을 그렇게 기었는데도 그 높은 검단재는 끝이 보이지 않았습니다. 너무 힘드니까 차가 바로 옆으로 쌩쌩 지나가는데도 무서운 생각이 들기는커녕 차에 치이면 어떠리 하는 생각조차 들었습니다.

그러다 배낭을 벗을 힘도 없어서 그냥 등에 맨 채 누워서 비를 맞으며 기도했습니다.

'하나님, 오늘 율촌까지 꼭 가야 됩니다. 그런데 제가 너무 힘이 드네요. 하나님, 야곱이 도망가다가 벧엘에서 천사를 본 것처럼 저에게도 천사를 한 번 보여주세요. 아니면 하나님의 음성을 한 번 들려주세요. 그러면 제가 힘을 내서 다시 걸을 수 있을 것 같습니다.

15리는 더 가야 되는데 하나님, 꼭 힘을 주세요.' 하고 간절히 기도
했습니다.

그리고 눈을 떴습니다. 그런데 눈앞에 천사가 서 있는 것이 아니
겠습니까. 저는 정말 꿈을 꾸는 줄만 알았습니다. 제가 처음 하나님
의 은혜를 경험했던 광영교회의 박정환 전도사님이 저를 내려다보
고 있었던 것입니다. 어떻게 제가 거기 있는 줄 알고 왔는지 저는
그저 너무 놀랍기만 했습니다.

"어떻게 제가 여기 있는 줄 아시고…." 거의 신음소리로 물었습
니다.

"제가 반 집사님 계시냐고 약국에 전화를 했는데 그냥 순천 나갔
다고 하더라고요. 그래서 처음에는 그냥 끊었지요."

"그런데요…."

"그런데 아무래도 꼭 만나야 할 것 같은 마음이 들어서 또 전화를
했어요. 반 집사님 어디 계시냐고 물어봤더니 계속 순천 가셨다고
만 하더라고요."

"직원들도 제가 어디 있는지 모르니까 그랬을 겁니다."

"근데 계속 만나야 될 것 같은 생각이 마음에서 떠나질 않는 거예
요. 그래서 여기 저기 수소문해서 집사님이 기도하면서 걸어가고
계시다는 이야기를 듣고 서둘러 왔지요."

"저는 지금 너무 힘들어서 이렇게 그냥 죽어도 좋겠다 생각하고
있었어요. 그래서 천사를 좀 보내주셔서 저를 위로해 주시면 제가
힘을 내서 갈 수 있겠다고 기도를 하고 눈을 떴는데 전도사님이 지

금 여기 계신 거예요. 전도사님이 지금 저에게는 천사예요. 천사!"

박 전도사님은 제가 걸어갈 만한 길을 완행버스를 타고 가면서 여수까지 샅샅이 살펴봤는데 저를 발견하지 못했답니다. 그래서 여수에서 순천으로 돌아갈 때는 완행버스를 안타고 직행버스를 타고 가는데 갑자기 제가 배낭을 메고 기어가고 있는 것이 눈에 들어오더랍니다. 그래서 버스기사와 싸우다시피해서 차를 세우고 내려서 뛰어 왔다는 것입니다. 저는 또 하나님께 감사했습니다. 그토록 하나님께서 저를 위해 일하고 계시다고 생각을 하니 힘이 났습니다.

박 전도사님은 그렇게 저를 만나 부축해서 율촌까지 동행했습니다. 그리고 여관에 당도해서도 박 전도사님은 가지 않고 뜨거운 물로 온 몸을 씻겨주고 안티프라민 연고를 다리와 어깨 팔 할 것 없이 거의 몸 전체에 다 발라주고 상처도 소독해 주며 저를 간호해 주셨습니다. 며칠 후 목사고시가 있어 바쁜데도 저를 위해서 그 귀한 시간을 내주셨던 것입니다.

그날은 그렇게 푹 잤습니다. 그리고 다음 날이 되어 저는 아무래도 전도사님께 죄송하고 혼자 가는 것이 옳을 것 같아서 "전도사님, 오늘은 저 혼자 걸어야겠습니다. 오늘은 부축해 주지 말고 돌아가세요. 정말 고맙습니다."하고 혼자 출발했습니다.

이제 돌산으로 가는 길만 남았는데 길이 두 갈래였습니다. 한 쪽 길은 편한데 거리가 멀고 또 한 곳은 짧은데 고갯길이었습니다. 고민 끝에 저는 고갯길을 택했습니다. 힘은 좀 들어도 거리가 짧은 것이 낫겠다 싶었습니다. 열심히 걸었습니다. 찬송을 부르며 기도하면서 최선을 다해 걸었습니다. 드디어 여수에 도착해 시내에 들어섰습니다.

여수 중앙동에 거의 도착할 때 쯤 여수성광교회 앞에서 더 걸을 수가 없어서 쓰러지다시피 벽에 기대 앉아 있는데 많이 본 차가 서더니 중앙감리교회 교인들이 막 내리는 것이었습니다. 저는 놀라서 보고 있는데 홍형표 목사님과 성도들이었습니다. 마침 여수에서 지방회가 있어서 교회 중직들이 참석했다가 돌아가면서 저를 발견하고 차를 돌려 왔다고 하시는 것입니다. 그곳에서 교인들이 위로해주고 기도해주어 다시 힘을 얻어 돌산을 눈앞에 두고 돌산대교 앞에 도착했습니다. 그리고 거기서 마지막 밤을 갔습니다.

아침이 되어 돌산대교를 지나는데 모든 것이 귀하게 보이고 나무도 풀도 아름답게 다가왔습니다. '모든 것이 이토록 아름다운데 그동안 왜 이런 것을 몰랐을까' 깊이 생각하면서 평사리를 지났습니다. 평사리는 이순신 장군 해전이 있었던 곳인데 경치가 매우 아름다운 곳이었습니다. 그리고 몽돌로 된 무슬목 동백골 해수욕장도 있습니다. 거기를 다 지나고 오후 2시경 드디어 돌산 평사리 계동에 있는 갈릴리감리교회가 눈에 들어 왔습니다. 그 교회 담임목사님과 사모님이 미리 나와 저를 보고 안타까운 마음에 울면서 기다리고 계셨습니다. 홍 목사님이 전화를 했었나봅니다. 그 교회는 기역자 형태로 되어 있고 돌로 참 잘 지어서 고풍스런 교회였습니다.

그 교회에 도착해 기도를 하러 들어갔는데 교회 안에 성화가 하나 걸려 있었습니다. 예수님께서 '엘리 엘리 라마사박다니' 라고 말씀하시는 장면의 성화였는데 푸근한 느낌이 마치 저를 기다리며 있는 것 같았습니다.

저는 그렇게 무사히 2박 3일의 기도여정을 마칠 수 있었습니다.

그날은 수요일이었고 중앙감리교회에서 차가 와 순천으로 돌아갔습니다. 제일 먼저 간 곳은 어머니가 계신 집이었습니다. 신장 기능이 마비되었음에도 당뇨 때문에 이식도 못하고 혈액 투석을 하고 계신 어머니, 시력도 상해서 앞도 잘 못 보시고 누워 계시기만 한 어머니….

어머니 생각을 하니 가슴이 울컥했습니다. 그런데 제가 대문을 들어서자 누워계셔야 할 어머니가 저를 부르며 맨발로 뛰어나오고 계신 것이었습니다. 아무 말도 안하고 떠났었는데 어머니가 제 소식을 들으셨던 모양입니다. 그러면서 어머니는 "막둥아, 네가 나를 위해서 사흘이나 굶고 걸었다면서, 네가 믿는 예수를 나도 믿겠다. 네가 그렇게 나를 믿게 하고 싶은 예수라면 내가 믿겠다."고 말씀하시며 그날 예수님을 영접하셨습니다. 곁에는 홍 목사님이 함께 계셨습니다.

그토록 기도했던 어머니의 구원이 이루어진 순간이었습니다. 그때의 감격은 이루 말로 다 할 수 없습니다. 목사님과 저와 어머니 그리고 교인들은 감격의 눈물을 흘렸습니다. 그날로 어머니는 집안 여기저기에 붙어있던 부적을 다 떼어 버렸습니다.

한 영혼을 위한 간절한 기도의 중요성을 저는 깨달았습니다. 그리고 가장 큰 효도라고 생각하던 어머니의 영혼구원을 마침내 이루었습니다.

　사람은 누구든지 꼭 전도해야 할 사람이 있을 것입니다. 그렇다면 절대 포기하지 마시고 끝까지 기도하라고 말하고 싶습니다. 진정한 사랑에서 우러나오는 간절함 앞에는 그 어떤 강퍅한 마음이라

가정의 행복은 하나님께로부터 말미암습니다

도 녹을 것입니다.

그 이후로 저희 집안은 모두 예수님을 영접했습니다. 처가의 식구들도 교회에 나가기 시작했고 막내 처제는 신학교를 졸업하고 선교사로 파송하기까지 했습니다. 다만 장모님께서 조상에 대한 의리를 지켜야 한다고 오랫동안 거부하셨으나 저를 통해 예수님을 영접하시고 돌아가시기 3일 전에 세례를 받고 천국에 가셨습니다. 하나님께서는 매우 부족한 저의 기도를 모두 들어 주셨습니다.

제2부

두부 전도왕이 되다

아름다운 소식을 시온에 전하는 자여 너는 높은 산에 오르라
아름다운 소식을 예루살렘에 전하는 자여
너는 힘써 소리를 높이라
두려워 말고 소리를 높여 유다의 성읍들에 이르기를
너희 하나님을 보라 하라

(이사야 40:9)

예수 복음 두부 전도 3

오직 성령이 너희에게 임하시면 너희가 권능을 받고
예루살렘과 온 유대와 사마리아와 땅 끝까지 이르러
내 증인이 되리라 하시니라
(사도행전 1:8)

지양호 사장을 만나다

저는 은혜 받고 나서 새벽예배를 빠지지 않게 되었습니다. 새벽의 은혜는 하루의 삶을 하나님께 온전히 드릴 수 있는 힘을 공급해 주는 것 같습니다. 또 새벽에 나누는 성도들 간의 교제는 그 어느 시간보다 순수하고 뜨겁고 사랑이 넘칩니다.

그러나 처음부터 그랬던 것은 아니었습니다. 첫 날 새벽예배를 참석해 보니 목사님과 사모님 그리고 같이 개척하신 송학수 권사님과 김명순 권사님 부부와 저 이렇게 다섯 사람 밖에 없었기 때문입니다. 며칠 그렇게 예배를 드리다보니 저는 좋은데 다른 성도들이 그렇지 못한 것 같아 새벽예배 참석을 권유하기 시작했습니다. 그러나 회사 일로, 집안 일로 모두 힘들고 지쳐서 누구 하나 선뜻 나오겠다고 하는 사람이 없었습니다. 그래서 새벽에 전화를 하기 시작했습니다. 집집마다 알람 역할을 대신 한 것입니다. 그러나 그런

오늘날까지 두부를 공급해준 지양오 사장님

정성에도 불구하고 그 날도 한 명 나오지 않았습니다. 나중에는 심지어 전화를 꺼 놓는 사람들도 생겼습니다. 그래도 포기하지 않고 계속 했습니다. 한번씩 전화하는 것이 부족한가 싶어 두번씩 전화하기 시작했습니다. 그랬더니 반응이 왔습니다.

새벽기도 나올 대상은 주로 여집사님들이었는데 새벽에 두번씩 전화를 해대니 남편들이 또 전화올까 두려워 미리 일어나서 얼른 가라고 밀어내기 시작했던 것입니다.

교회 가지 말라고 붙잡고 핍박하는 남편은 많아도 교회 가라고 밀어내는 남편은 한국에 참 드문일인데 순천에는 참 많은 것 같습니다.

이렇게 나오기 시작한 성도들은 어떻게든지 구실을 만들어서 새벽잠을 좀 늘려보려고 애를 썼습니다.

어떤 집사님이 저에게 이런 핑계를 댔습니다.

"요즘 새벽기도 가다가 납치되는 일들이 많이 있는 것 같은데 우리도 조심해야 되지 않겠소?"

저는 "예, 그래야지요."하면서도 좀 이상했습니다.

왜냐하면 아무리 눈을 씻고 봐도 우리 교회에 납치될만한 미모의 성도님은 없었기 때문입니다.

혹시 모르겠습니다. 힘은 세니까 흑산도나 추자도 양식장에 일하러 잡혀갈 수는 있을 지 모르겠습니다.

어쨌든 그렇게 새벽을 지키는 성도들의 숫자는 점점 늘어갔습니다. 몇 달을 하고 나니 한 분 두 분 새벽에 나오기 시작하고 그 숫자는 점점 늘어 갔습니다. 얼마나 기뻤는지 모릅니다. 새벽을 깨우면서 성도들은 신앙생활에 더 적극적이 되었고 더 열심히 생활을 하게 되었습니다. 저는 너무 감사해서 그 분들을 모시러 갔다가 예배 후에 다시 모셔다 드리는 차량운행을 자원해서 하기로 했습니다. 그렇게 새벽에 한 바퀴 돌고 나면 목욕탕에서 피로를 푸는 것이 정해진 코스였습니다.

2003년 1월 어느 날 그렇게 운행을 끝내고 목욕탕에 가서 목욕을 하고 있는데 평소 안면이 있는 사장님 한 분을 만나게 되었습니다. 그래서 인사를 나누고 탕 안에 들어가 몸을 녹이고 있다가 문득 '이 분에게 전도를 해야겠구나' 하는 생각이 들었습니다.

"사장님, 이 물이 조금 더 뜨거우면 어떨까요?"

그랬더니 사장님이 대답했습니다.

"힘들겠지요."

"그렇겠지요?"

조금 시간을 두고 다시 물었습니다.

"사장님, 이 물이 그 뜨거운 것보다 더 뜨거워지면 어떨까요?"

"아, 그러면 나가버려야지요."

저는 그 분께 복음을 전하기 시작했습니다.

"이 물보다 열배, 백배 아니 그보다 더 뜨거운 물이 있는데 한 번 들어가면 아무리 발버둥쳐도 나오지 못하는 물이 있습니다. 천하의 조오련 이라도 나올 수 없습니다."

"그런 물이 어디 있나요?"

"바로 그 물은 예수를 안 믿는 사람이 가는 지옥의 뜨거운 물입니다. 아무리 나오려고 발버둥쳐도 절대 나올 수 없는 고통의 물입니다.

성경에 보면 유황, 불 못, 뜨거운 물 등으로 표현되어 있는데 예수를 믿지 않는 사람들은 어떤 좋은 일을 해도 그 뜨거운 물을 피할 수 없습니다."

그랬더니 의외로 그분은 심각하게 그 말을 듣기 시작했습니다. 그렇게 한 시간 동안 복음을 전했습니다. 나오면서 그분은 명함을 한 장 주면서 찾아오라고 했습니다.

그래서 다음 날 바로 목사님을 모시고 명함의 주소로 찾아가게 되었습니다. 그분은 공장을 경영하고 있었는데 그 공장은 국내에서 가장 큰 두부 회사에 납품을 하는 생산 공장이었습니다. 1천 5백평 정도 되는 건물에 3교대로 24시간 가동되는 큰 규모의 공장이었습니다. 전남 동부 전 지역의 두부를 납품하고 있다고 했습니다. 사장님은 저와 목사님에게 공장 견학을 한 번 시켜 주고 두부를 좀 주시겠다고 하셨습니다. 그래서 속으로 생각하기를 공장이니까 한 30모 정도는 주겠구나 생각했습니다. 그런데 가지고 온 두부를 보니까 큰 침대 하나의 분량이었습니다. 자그마치 400모나 되었던 것입니다.

"교회가 좋은 일을 많이 하는데 이 두부로 좋은 일 하는데 좀 보태 쓰세요."

순간 그 뒤에서 돕고 계신 하나님의 음성이 들리는 듯 했습니다.

두부에 하나님의 사랑과 구원의 진리를 담았습니다

"반 장로야 지금까지 네가 아무것도 없이 전도하느라고 애썼는데 이제부터는 이 두부를 가지고 전도해라"

"감사합니다. 하나님, 이제 이 두부를 들고 더 열심히 전도하겠습니다."

저는 그자리에서 그렇게 결심했습니다.

그 업체는 지금까지 매주 200모의 두부를 계속해서 공급해 주고 있고 그 중 일부는 구례 및 순천의 어려운 8개 교회의 선교용 두부로 일부는 어려운 사람들을 돕는 두부로 사용하고 있습니다.

그것이 계기가 되어 "예수 복음 두부 전도"가 시작된 것입니다.

두부 전도 비법

저희가 공급하는 두부 포장에는 "수고하고 무거운 짐진 자들아 다 내게로 오라 내가 너희를 쉬게 하리라"는 마태복음 11장 28절의 말씀이 새겨져 있습니다.

그 두부를 들고 만나는 사람들에게 가까운 교회에 나갈 수 있도록 전도를 하고 있습니다.

처음에는 매일 전도하러 나갔습니다. 그런데 월요일, 화요일에 전도한 사람들이 토요일이 되면 결심이 변해서 주일에 교회에 나오지 않는 것입니다. 복음을 접한 첫날은 누구나 설레는 마음으로 교회에 나갈 주일을 기다리는데 시간이 흐를수록 결심은 약해지고 세상의 유혹들은 강해져서 이런 저런 핑계를 대며 교회에 나오지 않는 것이었습니다.

그래서 방법을 바꾸기로 했습니다.

월요일부터 목요일까지는 전도 대상자들의 이름을 불러 가며 구체적으로 기도하고 주말에 전도하러 가기로 했습니다. 그랬더니 훨씬 교회에 나오는 비율이 높아졌습니다. 그 이후로 자연스럽게 토요일 저녁 6시부터 10시까지는 전도하는 시간으로 정해졌습니다.

시골마을과 등산객, 세탁소, 문방구, 사진관, 은행, 여행사, 미용실, 서점, 병원, 식당, 심지어는 술파는 술집까지 다니며 두부를 들고 전도했습니다.

저는 두부를 가지고 전도할 때 마다 꼭 세 가지를 이야기 합니다.

첫째, "두부가 몰랑몰랑 합니까? 깡깡 합니까?" 말랑말랑 하냐 딱딱하냐를 전라도 사투리로 표현한 것입니다.

그러면 모두들 "몰랑몰랑 허지요."합니다.

저는 그 사람들에게 "두부가 몰랑몰랑한 것처럼 여러분들이 부드러운 사람이 되기를 바랍니다. 온유한 사람들이 되기를 바랍니다."라고 이야기합니다.

부드러운 두부처럼 누구에게도 거치지 않는 사람이 되었으면 하는 바람에서 그렇게 말합니다.

둘째, "두부는 지위고하를 막론하고 누구나 좋아하는 것처럼 모든 사람들에게 필요하고 유익한 사람이 되기를 바랍니다."라고 합니다.

누구든지 좋아하고 이 땅에 꼭 필요한 사람이야말로 예수님이 바라시는 사람이기 때문에 이렇게 이야기합니다.

그리고 셋째, "교도소에서 나온 사람들이 하나 같이 두부를 먹고 바닥에 패대기를

수고하고 무거운 짐진자들아 다내게로 오라
〈마태복음 11장 28절〉

1. 두부가 물랑물랑한 것처럼 여러분도 두부처럼 부드러우시길 바랍니다.

2. 두부는 지위고하를 막론하고 모든 사람이 좋아하는 것처럼 여러분도 모든 사람들이 좋아하는 유익한 사람이 되시기를 바랍니다.

3. 세상에 죄를 짓고 교도소에서 나온 사람들이 두부를 먹고 다시는 죄를 짓지 않겠다는 다짐과 각오를 하는 것처럼 두부의 원료인 콩을 만들어 주신 예수 그리스도를 만나면 구원받고 모든 죄악에서 떠날 수 있으며 유익하고 부드러운 사람이 될 수 있습니다.

※가까운 교회로 나가시기 바랍니다

기독교
대한감리회 왕지교회
H·P : 010-3968-0691

두부전도 스티커

치며 다시는 죄를 짓지 않겠다고 작정하는데 두부의 원료인 콩을 만드신 예수 그리스도를 만나면 세상의 죄가 아니고 모든 죄악에서 떠나 구원을 받고 모든 사람에게 유익하고 부드러운 사람이 될 수 있습니다. 예수 믿으세요."라고 말합니다.

두부전도 4단계

두부 전도를 하면서 저는 나름대로 전도대상자들의 상태를 분류하기로 했습니다. 두부를 갖고 다니다보니 두부와 관련지어 생각하게 되었습니다.

첫 단계 : 콩

이 사람들은 전도하면 반응이 없거나 매몰차게 내쫓는 사람들입니다. 그러면 아직 콩입니다. 딱딱하고 떫어서 절대 그냥 먹을 수

없는 콩입니다.

그런 사람들에게는 그냥 두부를 잘 전해주고 들든 말든 "예수 믿고 천국 가세요."하고 옵니다. 그리고 멀리서 바라보고 소식을 듣고 기도하면서 때를 기다립니다. 이런 사람들도 정해 놓은 시간에 꼭 다시 찾아가야 합니다. 그렇지 않으면 계속 콩으로 있을 가능성이 큽니다. 그래서 정기적으로 찾아가서 성령으로 그 사람을 천천히 불리는 것이 중요합니다. 찾아가는 것은 콩을 불리는 것과 같은 작업입니다. 잘 불려야 좋은 두부를 만들 수 있는 것처럼 처음엔 딱딱한 콩이라도 계속 찾아가고 전도하면서 전도자의 성실함을 보여주고 신뢰를 쌓아 가면 점점 퉁퉁 불어서 물렁물렁하게 됩니다.

두 번째 단계 : 퉁퉁 불리세요

다음 단계는 콩이 불려지는 단계입니다. 불려진 단계는 말이 통하는 정도라고 생각합니다. 낯이 익어서 지나가면서 가볍게 인사도 하고 안부도 묻고 몇 마디 말을 할 수 있고 예수님에 대해서도 좀 더 진지하게 대화를 하는 단계입니다.

"예수 믿으세요." 했는데 "수고하시네요." 했다면 이 사람은 불려진 것입니다. 그렇다면 희망을 가지고 다음 단계가 되도록 보살펴야 합니다.

세 번째 단계 : 푹 끓인 순두부

불린 콩은 곱게 갈아서 주머니에 넣고 콩물을 짜냅니다. 그리고는 끓입니다. 이렇게 푹 끓이면 순두부가 됩니다.

전도대상자가 전도자와 대화가 되는 정도가 되었다면 관계가 형성되었다는 이야기입니다. 그러면 끓여야합니다. 기도로 끓이고 찾아가서 끓이고 전화로 끓이고 선물로 끓이고 봉사로 끓이고 푹 끓여야 됩니다. 여기서 어떻게 하느냐에 따라 교회가 어떤 곳인지 완전히 상반되게 판단할 수 있습니다.

콩물이 끓고 있을 때 좋은 두부를 만들기 위해서는 계속 저어줘야 됩니다. 그렇지 않으면 눋거나 덩어리져 두부가 부드럽지 못하고 균일하지 않게 됩니다. 이때는 정성과 신중함을 필요로 합니다. 사람에게도 마찬가지입니다. 정성을 다하고 말 한마디 한마디에 신중을 기해야합니다. 날마다 기도하며 만남을 준비해야하고 때를 꼭 얻을 수 있도록 간구해야 합니다. 그렇게 끓이다 보면 전도대상자의 마음은 순두부가 되어 있을 것입니다.

네 번째 단계 : 꾹 누르세요

푹 끓은 순두부는 틀에 넣고 식혀 간수를 붓고 위에 무거운 돌을 올려놓고 모양을 만듭니다. 속에서 서로 엉겨 단단해지고 예쁘게 모양이 만들어져서 두부가 됩니다.

전도 간증을 하다 보면 가끔 교회까지만 데리고 오는 것을 전도라고 생각하는 사람들이 있습니다. 그러나 그렇게 교회에 나오기는 했으나 구원의 확신이 없는 사람들이 너무 많습니다. 꼭 영접을 하도록 해야 합니다. 기회가 오면 꼭 영접을 시켜야합니다. 마지막 단계는 꾹 누르는 것입니다. 확신시키는 것이지요. 두부로 확실한 모양을 만들어서 누가 보아도 두부인 것을 알게 되듯이 마지막에 영접시키고 구원의 확신을 갖게 해서 누가 물어도 구원에 대해 자신 있게 확신할 수 있도록 해야 합니다. 전도하다가 마지막 단계에서 죽었다면 그 사람은 어디로 가겠습니까? 제 생각으로는 천국에 가지 못할 것입니다. 때때로 전도하는 것이 10년도 걸리고 20년도 걸립니다. 그런데 마지막 순간에 영접하지 못하고 죽어버렸다면 너무 안타까운 일 아닙니까? 영접은 구원의 모양을 만드는 것이라고 생각합니다. 돌로 꾹 눌러서 두부 모양을 만들 듯 마지막 순간에 확실한 그리스도인이 되도록 영접으로 꾹 눌러야 될 것입니다.

우상과의 전쟁 비래마을 전도 4

이르시되 우리가 다른 가까운 마을들로 가자 거기서도 전도하리니
내가 이를 위하여 왔노라하시고
이에 온 갈릴리에 다니시며 저희 여러 회당에서 전도하시고
또 귀신들을 내어 쫓으시더라
(마가복음 1:38,39)

우상 숭배와 미신으로 가득 찬 마을

순천은 손양원 목사님의 두 아들인 동식, 동인 형제가 순교한 곳으로 유명합니다. 그래서 인구의 35% 이상이 기독교인일 정도로 복음화율이 높은 곳입니다. 그런데 그 순천에도 단 한 명도 예수를 믿지 않는 동네가 있었습니다. 그곳이 바로 제가 다니는 교회 뒤에 있는 해룡면 복성리 '비래마을'입니다. 이 마을을 위한 기도는 몇 년 동안이나 계속되었지만 그들의 마음은 여전히 냉담했고 강퍅했습니다. 약 24호의 가정이 살고 있는 이 마을은 살아있는 사람들을 위한 동네라기보다 죽은 사람들을 위하여 존재하는 동네 같은 느낌입니다. 마을 한가운데에는 전주 이씨 시제를 지내는 제각이 있고, 제각 옆으로 문중 묘지 7기가 나란히 있습니다. 원래 이 마을은 우상숭배가 심했고 외부 사람들이 들어와서 잠시도 견딜 수 없을 정도로 배타적인 마을이었습니다. 어느 교회도 그 마

을에서는 복음을 전파할 수 없었습니다. 끈질기기로 소문난 이단인 여호와의 증인도 그 마을에서는 꼼짝도 못 할 정도였습니다.

그러나 저는 한 주도 빠짐없이 비가 오나 눈이 오나 이 마을에 전도하러 갔습니다.

두부를 들고 가서 전해 주면서 아픈 사람 있으면 병 낫기를 기도해 주고, 예수도 믿게 해 달라고 기도하면서 계속 전도 했습니다.

그런데 5년 전부터 이곳에 그리스도의 향기를 나타내던 분들이 계셨습니다. 그분들은 소를 키우고 농사를 짓던 송학수, 김명순 권사님 내외인데 이분들은 비래마을의 논과 밭을 트랙터로 직접 갈아 주고 거름까지 주면서 비래마을 분들을 위해 최선을 다해 봉사를 다해왔습니다.

트랙터로 농사일을 도와 주는 동안 마을 사람들은 마음이 열립니다

새벽기도도 항상 나왔던 분들입니다.

성경에 아볼로가 씨를 뿌렸다는 말씀이 있는데 비래마을 전도의 씨는 송 권사님과 김 권사님이 뿌렸다고 할 수 있습니다.

그것을 바탕으로 저와 교인들은 농번기 때가 되면 직접 밭이나 논으로 두부와 양념장까지 가지고 가서 경운기와 트랙터를 따라다니며 전도를 했고 가을 추수 때는 목사님과 전 교우들이 동원되어 함께 추수하면서 전도했습니다.

비가 오나 눈이 오나 때로는 태풍이 부는 날조차도 언제나 하나님의 말씀과 두부를 가지고 지속적으로 그 마을을 찾아 갔는데 그들의 딱딱했던 마음도 어느 순간부터 조금씩 두부처럼 부드러워지기 시작했습니다.

어떤 날은 제가 약국을 하는 관계로 건강약품을 가지고 건강강좌를 한다고 마을에 방송을 했습니다. 그리고 마을회관에서 약(회충약)도 주고 두부도 주면서 건강강좌를 한 적이 있습니다. 물론 건강강좌는 5분 만에 끝내고 대부분은 예수님 이야기였습니다. 그렇게 해서 그 분들에게 조금씩 사랑의 하나님에 대해 알리게 된 것입니다.

매주 한 주도 빠지지 않고 복음을 전파할 때 하나님께서 그들의 마음을 열어주셨습니다. 한 사람, 두 사람씩 벽돌처럼 깡깡했던 분들이 두부처럼 몰랑몰랑해지면서 교회를 나오기 시작했습니다.

이형표 이장님

비래마을의 이형표 이장님은 평소에는 참으로 좋은 분이었습니다. 그런데 예수 이야기만 나오면 거부하고 생각할 수도 없는 말로 핍박하곤 했습니다.

그런데 그 분이 오토바이를 타고 가시다가 불행하게도 교통사고를 당하여 가까운 병원 중환자실에 입원하였는데 곧 수술을 받게 되었다는 연락이 왔습니다. 그래서 저는 이때가 전도할 때라고 생각하며 급히 수술 직전의 이장님을 만났습니다. 계속 혼수 상태였다가 잠시 정신이 든 것 같았습니다.

"이장님, 정신이 드세요?"

이장님은 대답 대신 고개를 끄덕였습니다.

"이장님, 제가 지금부터 하나님께 이장님을 살려달라고 기도할 텐데 살려주시면 꼭 교회 나와서 예수님을 영접할 거죠?"

이장님은 또다시 고개를 끄덕여 주었습니다.

그래서 저와 동네 분들 6명이 돌아가면서 수술을 앞둔 그 이장님을 위해 간절히 기도했습니다.

그 급하고 간절한 기도를 하나님께서 들어주셔서 결국 이장님은 다시 살아났습니다. 그런데 뇌를 너무 크게 다쳐 앞으로 똑바로 걸을 수 없고 게처럼 옆으로 걷게 되셨습니다. 그래도 이장님은 살아났다는 것에 감사하고 약속대로 교회에 등록을 하였고 지팡이를 짚고 열심히 다녔습니다. 저는 이장님을 속회로 인도해서 동네에서도 예배를 드릴 수 있도록 했습니다. 때때로 업고도 다녔습니다.

비래마을 이형표 이장님과 조금례 집사님에게 두부를 전해 주고
진심으로 병낫기를 기도해 주었습니다

그런데 사고 후유증으로 증세가 악화되어 외출이 불가능한 지경
에 이르렀습니다.

이장님께서 저에게 "장로님, 하나님께서 저를 살려주셨다고 믿고
있습니다. 그런데 몸이 너무 아파서 당분간 교회를 쉬어야겠습니
다." 라고 말하는 것이 아니겠습니까?

저는 그 말에 동감은 했지만 그래도 예배당 의자에 누워계시는
한이 있어도 교회에는 꼭 나오라고 당부했습니다. 그리고 속회 예
배(구역 예배)를 드리면서 그 분을 위해서 간절히 기도했습니다.

드디어 주일이 되었습니다. 비래 마을에 살고 있는 모든 어르신
들이 오전 10시 50분까지 교회차량을 타고 즐거운 모습으로 도착
했습니다.

그러나 아무리 눈을 씻고 찾아봐도 이장님 모습은 없었습니다. 가슴이 무너지며 얼마나 아팠는지 모릅니다.

"예배를 시작하겠습니다."라는 목사님의 말씀이 들렸습니다.

그런데 그 순간 문이 벌컥 열리며 바로 이장님이 들어섰습니다. 그런데 놀랍게도 차를 타고 온 것도 아니고 지팡이를 짚고 온 것도 아니고 좀 비척거리긴 했지만 두 발로 당당히 걸어서 예배당에 들어 온 것입니다. 우리 모두는 놀라며 눈물로 하나님의 은혜에 감사했습니다.

마가복음 16장 18절의 "병든 사람에게 손을 얹은 즉 나으리라"는 말씀이 현실이 되는 순간이었습니다. 지금 그 분은 건강하게 일하고 복음을 전파하는 일에도 열심히 헌신하는 분이 되셨습니다.

이양님 할머니

비래마을에는 대부분 넉넉하지 못한 분들이 사는데 딱 한 집, 별장 같이 집을 지어 놓고 사는 노부부가 있었습니다. 항상 두부 전도를 할 때면 우리들을 비웃고 하찮게 생각해서 때로는 정말로 그 집에는 가고 싶지 않은 심정이었습니다.

두부를 전해드리면 그냥 길가에 버리거나 지나가는 차 밑으로 굴려버리면서 갖가지 욕을 하고 저주를 퍼부었던 분들입니다.

그런데 어느 날 바로 그 할머니가 폐암 말기 진단을 받았고 병원에서는 더 이상 치료할 수 없었습니다. 집으로 퇴원하여 고통 속에서 죽을 날을 기다리고 있었습니다. 당시에는 대부분의 시골 사람들은 많이 아프지 않으면 미리 병원에 가보거나 하지 않았던 시절입니다. 이 할머니도 병을 다 키운 다음에 병원에 갔고 이미 늦었다는 말만 들을 수밖에 없었습니다. 그래서 오래 살면 일주일, 아니면 3일이나 4일 후면 돌아가신다고 알려졌습니다.

이 말을 전해들은 저는 바로 지금이 하나님의 긍휼하신 은혜를 입을 때라고 생각하고 그 집을 찾아갔습니다.

그런데 문 앞에서 할아버지께서 할머니가 그런 상황인데도 버티고 서서 비켜 주지 않는 것이었습니다. 할 수 없이 마지막으로 막무가내인 할아버지께 이렇게 말씀을 드렸습니다.

"어르신, 지금 이 상황에서 부처가, 아니면 절이 할머니를 살릴 수 있습니까? 의사가 살릴 수 있습니까? 그렇지 못합니다. 인간의 생사화복을 주장하시는 내가 믿는 하나님께 살려달라고 간절한 마음으로 기도 한 번 하려고 합니다. 그러니 비켜 주십시오."

성령님께서 저에게 힘을 불어넣어주시는 것 같았습니다. 그 힘에 그 할아버지는 갑자기 기가 눌렸습니다. 우여곡절 끝에 할아버지의 승낙으로 저와 성도들은 할머니 방으로 들어갔습니다.

거의 죽어갈 것이라고 믿고 있던 저희들은 깜짝 놀랐습니다. 할머니는 이미 문을 반쯤 열고 일어선 채로 저희를 기다리고 있었던 것입니다. 그리고 그렇게 선 채로 또 주저앉은 채로 회개하기 시작했습니다. 며느리가 교회 간다고 하는데 못 가게 핍박한 것, 전도하러 왔는데 두부를 차 밑으로 팽개쳐 버린 것들을 회개하면서 울고 계셨습니다.

그리고 지금도 제 가슴에 남아 있는 이 한 마디를 하셨습니다.

"가버리는 줄 알고…. 영감이 가로 막아서 그냥 가버리는 줄 알고…. 나를 포기하고 그냥 가버리는 줄 알고…."그러면서 엉엉 우셨습니다.

사실 할머니는 저희들을 무척이나 기다리셨던 것입니다. 그냥 가면 어떡하나 하는 마음에 할아버지를 말리려고 일어서서 나오고 계셨던 것입니다.

아무리 핍박하는 사람이라도 전도를 포기하면 안 되는 이유는 바로 여기에 있었습니다.

저희는 그런 할머니를 눕혀 놓고 간절한 마음으로 기도하기 시작했습니다. 진짜 우리 어머니라고 생각하고 내가 아들이라고 생각하면서 간절히 기도했습니다. 어느 새 할아버지도 함께 울고 계셨습니다.

기도가 끝나고 할머니는 예수님을 끝까지 영접하고 마음에 두고 싶은데 어떻게 하면 품을 수 있겠느냐고 물었습니다. 그래서 저는 성경책을 사드리겠다고 약속하고 즉시 기독교서점에 가서 성경책을 한 권 사 황급히 돌아왔습니다. 할머니가 누워 있던 방에 가보니 할머니는 이미 안 계셨습니다. 돌아가신 줄 알고 너무 놀라서 이리저리 찾는데 할머니가 주방에 앉아서 식사를 하고 계신 것이 아닙니까. 무언가를 너무 먹고 싶었다고 그러시면서 말입니다. 저희는 또 한 번 하나님께 감사 드렸습니다.

"지금까지 내가 믿고 있던 절은 아무 필요가 없어. 예수를 믿어야 마음이 편안하고 우리 집안이 복을 받을 거야." 하면서 고백하는 모습을 보니 기뻤습니다. 그리고 가족들을 전도하는 모습을 보면서 얼마나 감격했는지 모릅니다. 만일 그 때 그 할머니의 행실을 보고 그냥 미워하기만 했으면 어떻게 됐을까 생각하면 끔찍합니다. 하나님께서 그 가정을 포기하지 않도록 지켜주신 것이 너무 감사할 따름입니다.

이제는 비래마을 24가구 중에서 18가구가 구원 받았습니다. 우상과 미신에 사로잡혀 지옥에 갈 수 밖에 없었던 사람들이 예수를 믿고 구원 받아 주일에는 쉬는 기독교 문화가 자리 잡혀 가고 있습니다. 모두 하나님의 은혜와 사랑이었는데 중요한 것은 그들을 포

정고배 할머니와 이형구 할아버지가 예수님을 영접하기까지
오랜시간이 걸렸습니다

기하지 않도록 계속 지켜 주셨다는 것입니다.

"우리가 선을 행하되 낙심하지 말찌니 피곤하지 아니하면 때가 이르매 거두리라"(갈라디아서 6:9)

소드레 할머니

비가 오나 눈이 오나 전도를 나가다 보니까 미쳤다고 하는 사람도 있습니다. 비래마을에는 그런 사람들이 유독 많았습니다. 그리고 사람 사는 곳에는 어디나 남이 하는 일에 대해서 따라다니면서 간섭하고 이사람 이야기 저쪽 가서 전하고 저사람 이야기 이쪽 와서 전하는 사람도 있게 마련입니다. 비래마을 입구에 할머니가 한 분 살고 있었습니다. 그분은 소드레의 여왕이었습니다. 소드레는 이간질을 뜻하는 전라도 사투리로 할머니는 이사람 저사람 사이에서 분쟁을 만드는 데 일가견이 있다고 할 만큼 이간질을 잘했습니다.

사람들이 이 할머니 때문에 비래마을이 갈라져 버렸다고 할 정도였습니다.

저도 그 할머니를 잘 알고 있었습니다. 전도하러 가려면 언제나 제일 먼저 그 할머니 집을 지나게 되기 때문입니다. 좋은 소리는 물론 못 들었지요.

그러던 어느 날 비가 몹시 내려 전도하러 가기 참 어려운 날이었습니다. 저는 비가 많이 온다고 전도를 쉬면 하나님이 기뻐하시는 일이 아닐 것이라고 생각하고 그날도 교회 집사님들과 전도를 나갔습니다. 바람에 비에 정신이 없었습니다. 저희는 금세 비에 온몸이 젖었습니다. 누군가 저희를 본다는 것이 민망할 정도의 꼴이 되어 버렸습니다. 그래도 계속 전도했습니다. 가서 두부를 전해주고 예수님을 소개하고 또 다음 집에 가서 두부 전해주고 예수님 이야기 하면서 전도행진을 계속 했습니다. 그 할머니도 만났습니다. 그런데 매번 만나면 예수가 밥을 먹여 주냐, 돈을 벌게 해주냐 하면서 배척했던 분이 그날은 이렇게 이야기를 하는 것이었습니다.

"아이고 사는 것도 잘 사는 양반이 뭐가 아쉬워서 이 고생을 한대? 짠해 죽겠네."

돈도 있을 만큼 있는 사람이 왜 이 고생을 하며 전도를 하느냐 딱해서 못 보겠네 하는 이야기였습니다.

기회가 온 것 같았습니다. 할머니가 드디어 딱딱한 마음이 불려진 것입니다.

"할머니, 보이기는 좀 짠해 보여도 저는 기분이 좋아요. 억지로 이렇게 하는 것이 아니고 좋아서 해요. 할머니도 예수님 한번 믿어보세요. 그러면 얼마나 좋은지 금방 아실 거예요. 할머니, 예수님 믿으세요. 할머니, 예수 믿고 저랑 천국 갑시다. 저는 어머니 같은 분들이 예수님 안 믿어서 지옥 갈 생각만하면 가슴이 아파 죽겠어요. 그것이 진짜로 짠한 거예요."

대답은 안했지만 할머니는 눈물이 글썽했습니다.

이틀이 지나고 주일이 되었습니다. 그 할머니는 비래마을 입구를 벗어나서 왕지교회에 나와 앉아계셨습니다. 그리고 그 후부터 교회

건강과 복음을 함께 할머니들에게 설명하고 있는 모습

에 사람들을 잘 모아오는 분이 되어 사랑으로 비래마을을 화합시킨 할머니가 되었습니다.

댄스의 여왕들

비래마을 주민들이 교회에 나오기 시작하면서 우리 교회는 평균 연령이 조금 높아졌습니다. 비래마을에 할머니 할아버지들이 많으셨기 때문이지요. 어려서부터 계속 농사만 지어 온 그분들은 대부분 글을 몰랐습니다. 교회를 나오기 시작하면서 다른 것은 별로 불편한 것이 없었는데 딱 한 가지 정말 곤란한 것이 있었습니다. 바로 속회예배였습니다. 속회예배를 드리자고 하면 잘 모이는데 바로 그때부터 저의 원맨쇼가 시작됩니다. 아무도 글을 모르기 때문에 찬송을 부를 때도 저 혼자 독창을 하고 성경을 읽을 때도 저 혼자 웅변을 했습니다. 매주 저는 이렇게 밖에서 들으면 한사람이 드리는 속회예배를 드리고 있었습니다.

　그런데 그것을 면한 일이 생겼습니다. 추수감사주일이 다가올 무렵이었는데 그때 열리는 찬양대회에 나가겠다고 비래마을 할머니들이 찬양을 가르쳐달라고 졸라대기 시작했습니다. 저는 방법이 없었습니다. 그때부터 한글을 가르치기 시작해서 어느 세월에 곡까지 붙여서 찬송을 부르게 하겠습니까? 고민이 되어 밤에 잠도 제대로 잘 수 없었습니다. 그런데 하나님께서 어느 날 새벽에 기도하다가 지혜를 주셨습니다.

　"찬송가 마지막 장을 찾아라"

　그래서 바로 찬송가를 펴들고 찾아보았습니다. 마지막 장을 찾으니 제목이 기가 막혔습니다.

　"일곱 번 아멘"

　"아, 바로 이거다. 아멘을 가르치면 되겠구나. 하나님 감사합니다."

　저는 날이 새자마자 기다렸다는 듯이 교회에 가서 정경환 집사님께 부탁을 했습니다. 그분은 교회의 일을 도맡아하다시피 봉사하는 권영근 집사님의 부인이었습니다.

　"비래마을 할머니들이 찬송을 배우고 싶다고 난리가 났어요. 그러니 찬송을 좀 가르쳐 주세요."

　"할머니들한테 어떻게 가르쳐요?"

　"하나님께서 지혜를 주셨는데 아멘을 가르쳐요 아멘을…."

"아, 아멘!"

그날부터 비래마을 할머니들의 연습이 시작되었습니다.

'아~~멘, 할렐루야, 아~~멘, 할렐루야, 아~멘 아멘 아멘.' 이 찬송으로 정했습니다. 할머니들은 왼쪽으로 오른쪽으로 왔다갔다 춤을 추면서 찬송을 불렀습니다. 박자가 틀리고 발이 꼬이고 자빠지고 돌림노래가 되기 일쑤였지만 연습은 계속 진행되었습니다.

드디어 추수감사주일이 되었습니다. 찬양대회가 시작되고 할머니들의 차례가 되었습니다. 할머니들이 앞에 죽 일렬로 섰습니다.

연습을 시킨 집사님의 "준비"라는 구령에 할머니들은 "찬양"하고 큰소리로 손을 옆구리에 갖다 댔습니다. 그리고 "앞으로"라는 구령에 몸을 앞으로 약간 숙이려고 했습니다. 그러나 구부리고 자시고 할 것도 없이 원래 허리가 90도로 구부러져 있던 할머니들인지라 그냥 그대로 서 계셔도 되었습니다. 그리고 찬양이 시작되었습니다.

"아~~멘, 할렐루야, 아~~멘, 할렐루야, 아~멘 아멘 아멘."

왼쪽 오른쪽으로 박자를 맞추면서 스텝을 밟으며 찬양을 하는데 정말 아름다웠습니다. 아무리 나이가 들어도 열심히 찬양을 하며 율동을 하는 모습은 여전히 꼬마아이들인 것 같았습니다.

찬양이 끝나고 할머니들은 추수감사주일을 기념해서 성도들이 내놓은 각종 과일과 채소들을 상품으로 받아 갔습니다. 잊히지 않는 찬양대회였습니다.

추수감사절이 지나고 돌아오는 주에 저는 변함없이 비래마을로 전도를 하러 갔다가 밤이 되어 돌아오고 있었습니다. 그런데 어디선가 "아~~멘, 할렐루야"하는 찬양이 들려오는 것이었습니다. 며칠 전 추수감사주일에 들었던 바로 그 찬양 "아멘"이었습니다. 그러나 아무리 찾아봐도 사람이 보이지 않았습니다. 귀신이 장난치는 게 아닌가 싶은 생각도 들었습니다. 자세히 들어보니 재래식 화장실에서 소리가 나고 있었습니다. 할머니 한 분이 밤에 화장실을 갔다가 무서움을 없애려고 새로 배운 "아멘"을 부르셨던 것입니다. 염불도 주문도 아닌 찬송이 비래마을에서 흘러 나왔다는 것은 그 마을의 역사를 아는 사람들에게는 엄청난 사건이었습니다.

다음 날에 또 "아멘"이 들려왔습니다. 이번에는 쇠스랑과 삽을 어깨에 메고 가는 할아버지의 입에서 흘러나오고 있었습니다. 비래마을 곳곳에서 "아멘"이 퍼져 나오고 있었습니다. 너무 기쁜 일이었습니다. 더 이상 저 혼자 드리는 속회는 없었습니다. 하나님께서 주신 찬송으로 마을 주민 모두가 함께 예배를 드릴 수 있게 되었습니다. 이후 속회예배는 무슨 일이 있어도 빼먹지 않았습니다. 심지어 제가 외국에 나가 있을 때에도 전화로 함께 드렸습니다. 비래마을은 이제 귀신을 섬기는 죽은 마을이 아니라 하나님을 예배하고 찬양하며 모이기에 힘쓰는 살아있는 마을로 변했습니다.

비래마을 옆 상비마을

비래마을 옆에는 상비마을이라고 있는데 역시 비래마을과 비슷하게 복음이 많이 증거 되지 않은 곳입니다. 열 명중 한 명이 교회

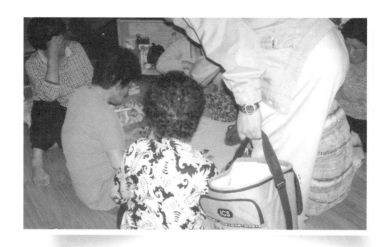

상비마을에서 화투를 치고 있던 할머니들

에 다닐까 말까 한 정도였습니다.

이 마을도 주로 할머니 할아버지들만 사는 곳이었습니다. 젊은이들은 큰 도시로 나가거나 순천 시내로 옮겨 살고 있었습니다.

어느 날 상비마을 정자나무 밑을 지나는데 그 옆 마을회관에 몇분 할머니들이 계신 것이 눈에 띄었습니다.

저는 전도를 할 요량으로 들어갔는데 그분들은 열심히 화투를 치고 있었습니다. 그것을 보면서 잠깐 생각을 했습니다. 재미있게 화투를 치는 모습이 보기 싫지 않았습니다. 푸근한 모습과 왁자지껄한 웃음소리가 나의 어머니 같다는 생각을 하게 했습니다.

저는 잠시 그 모습을 구경하다가 안으로 들어섰습니다.

"안녕들 하세요, 할머니"

"어디서 오셨나?"

"예, 할머니들이 고생스럽게 화투를 치고 있어서 두부 좀 드시고 힘 좀 내라고 들렀습니다."

"아, 그 두부 아저씨구만."

"예, 화투치느라 얼마나 힘듭니까? 허리도 아프고 머리도 아프고 다리도 힘들게 구부리고 있어야 되고 눈도 침침해서 아프고 그러시죠? 얼마나 고생이 많으세요?"

그랬더니 할머니들이 자지러지게 웃으며 마음을 열었습니다. 저는 두부를 드렸습니다.

"제가 두부 좀 드릴 테니까 힘내서 계속 화투 치세요. 여기 간장도 있어요."

"아이고 이 아저씨 재밌네. 주는 거니까 먹고 합시다."

"잠깐만요, 그런데요, 여기 두부에 뭐라고 써놓은 글씨가 있어요. 이것 한 번 제가 읽어 드릴게요. 할머니들 눈이 어두워서 안보이시죠?"

"수고하고 무거운 짐진 자들아 다 내게로 오라
내가 너희를 쉬게 하리라"(마태복음 11:28)

"할머니 그동안 고생만 하셨죠?"

"그렇지, 살기가 어려웠잖아. 몸살도 나고 죽을병도 걸리고. 에휴, 그래도 자식들만 위해서 계속 일만 하고 살았지 우리는."

"그래요, 전쟁도 겪었고 여러 가지 어려운 일들이 많았지요. 그래서 저는 여러분들이 저세상 가서는 좀 편하게 사셨으면 좋겠어요."

"그게 우리 마음대로 되면야 좋지."

"우리 마음대로 될 수 있어요. 예수님을 믿으면 되요. 예수님이 쉬게 해준다고 하셨잖아요."

기회다 싶어 저는 복음에 대해 자세하게 전했습니다. 고생만 하시며 살아오신 그분들에게 위로가 되는 하나님을 전하고 나니 세 분 중 두 분이 주일 교회에 나오기로 약속했습니다. 나이 많은 분들에게 쉽게 복음을 전한다는 것은 어려운 일입니다. 그러나 내 어머니와 아버지를 대하는 심정으로 복음을 전하면서 하나님의 도우심을 구하면 그 분들의 마음은 생각보다 쉽게 열리는 것을 경험했습니다. 세상 살 날이 얼마 남지 않아서 언제 돌아가실지 모르는 분들은 가장 먼저 복음을 전해야 할 대상이 아닌가 생각합니다.

섬진강교회 이야기 5

두려워 말라 내가 너와 함께 함이니라 놀라지 말라
나는 네 하나님이 됨이니라
내가 너를 굳세게 하리라 참으로 너를 도와 주리라
참으로 나의 의로운 오른손으로 너를 붙들리라
(이사야 41:10)

신명아, 신앙아

4년 전쯤 1월에 전남 곡성에 있는 다니엘 기도원에서 열흘 동안 교회와 사업 등에 대한 일들로 기도를 하고 내려오다가 구례군 구례읍 계산리 독자마을 앞에 119 구급차가 서있는 것을 보게 되었습니다. 그 곳 섬진강은 썰매나 스케이트를 타다가 얼음이 깨져 자주 익사사고가 나는 곳이었습니다.

"또 얼음이 깨져서 누가 물에 빠졌나 보네."하고 그냥 지나치려는데 초등학교 4학년이나 될 법한 여학생이 울부짖고 있는 것이 눈에 띄어 누군가 죽은 것이 아닌가 하는 생각이 들었습니다. 급히 차를 세우고 그 쪽으로 뛰어 갔습니다.

119 구급대원들이 끌어올린 것은 산사람이 아니라 시체였습니다.

"예감이 맞았구나."

마음이 아팠습니다. 그런데 더욱 가슴을 저몄던 것은 그 죽은 사람이 아홉 살짜리 꼬마였다는 사실입니다. 울고 있던 소녀는 그 아이의 누나였습니다.

주변 사람들로부터 사연을 들어보니 그 남매의 아버지는 목사님이었는데 마침 심방할 때 선물로 줄 책을 사러 서점에 갔다고 합니다. 그 사이에 그 아들과 친구가 얼음에서 놀고 있었는데 얼음이 깨지는 바람에 둘 다 물에 빠져 숨져 버렸다는 겁니다.

여름에도 물에 빠지는 것이 위험하지만 겨울에는 훨씬 더 위험합니다. 빠져 나오기도 어렵고 밖에 있는 사람이 건지기도 어렵습니다.

죽은 아이의 누나는 숨이 넘어갈 듯 발을 동동 구르며 계속해서 울고 있었습니다.

저는 그 아이에게로 다가가 달래면서 말을 걸었습니다.

"얘야, 이름이 뭐니?"

"신앙이요."

"이름이 신앙이야? 그래, 얼마나 마음이 아프겠니, 그 마음을 어떻게 위로를 받겠니, 그렇지만 하나님께서는 네 마음을 아실거야. 우리 기도하자."

저는 흐르는 눈물을 간신히 참으면서 기도했습니다.

얼마 후 부모가 돌아왔습니다. 아들의 죽음을 확인한 그 부부의 오열은 정말 듣고 있기 어려운 것이었습니다. 너무 슬프게 울던 그 모습을 지금도 잊을 수가 없습니다.

구례섬진강교회 정영택 목사님과 유경숙 사모님
(신바람 전도 축제 후 왕수관 박사님과 함께)

나중에 알고 보니 죽은 아이의 이름은 "신명"이라고 했습니다. 아버지는 정영택 목사님 어머니는 유경숙 사모님이었고 아들의 이름은 "정신명"이었던 것이지요.

신명이는 누나 말고 원래 동생이 한명 더 있었는데 생후 4개월 만에 죽었다고 들었습니다.

참 어려운 일이 너무 많이 겹쳐 있구나 생각하니 어찌나 가슴이 아프던지 눈물을 참기가 어려웠습니다. 간신히 정리를 하고 함께 기도하면서 저는 그 자리를 떠났습니다.

욥의 시련을 이겨낸 목사님

그 후 어느 날인가 우연히 섬진강다리를 건너게 되었는데 신앙이

와 신명이 생각이 났습니다. 저는 그때 본 기억이 되살아나면서 무엇인가 돕고 싶다는 생각이 들었는데 항상 차에 싣고 다니는 생필품이 떠올랐습니다. 그래서 그것을 전해드리기로 마음먹고 수소문 끝에 신앙이 아버지가 계시는 교회를 찾아 갔습니다.

목사님을 뵙고 인사를 드리고 이런 저런 이야기를 하다가 신명이 1주기가 곧 되는데 그때 맞춰 다시 찾아 주셔서 정말 고맙다는 인사를 듣게 되었습니다.

저는 그저 하나님께서 도와주라고 하는 마음을 주셔서 찾아왔을 뿐인데 마침 1주기가 되었던 모양입니다. 너무나 가슴 아파 친척도 가족도 애써 외면한 기일. 그 분들이 외롭지 않게 1주기를 보내게 되어 하나님께 감사드렸습니다.

그 교회는 구례섬진강교회였습니다. 교회는 이단교파와의 사이비논란으로 교인들이 뿔뿔이 떠나고 고작 십여 명 정도 남아있던 형편이었습니다. 목회자가 없어 청빙 광고를 냈으나 한 달이 지나도 아무도 오는 이가 없자 그 교회 형편을 뒤늦게 안 정 목사님이 무너진 곳을 중수하고 수축하는 것이 자신의 사명이라 여겨 같은 뜻을 가진 사모님과 신앙이, 신명이와 그 곳으로 오셔서 사역을 감당하고 계신 터였습니다.

그러던 어느 날 정 목사님이 차에 가족을 태우고 외출했다가 교회로 돌아오던 중 교통사고가 크게 났습니다. 폐차 직전이었던 차의 타이어가 닳을 대로 닳아 핸들을 제대로 움직일 수 없어서 발생한 사고였습니다. 그 당시 교회 형편으로 차를 구입하기가 어려워 기증을 받았는데 재정이 어려워 부품을 교체할 엄두도 내지 못한 채 운행하다가 커브 길에서 차가 언덕 아래로 굴러 버린 것입니다. 그 사고로 사모님은 갈비뼈 8대가 골절되는 큰 부상을 입었고 신앙이도 두개골이 함몰되는 큰 상처를 입었습니다.

어떻게든 다시 일어서 보려고 하는 그 가족에게 정말 너무하다 싶은 일이 계속 벌어졌습니다. 급기야 아들과 친구가 익사하는 사건이 겹치자 크게 상심한 목사님은 40일 금식기도를 통해 주님의 위로를 경험하고 사명을 새롭게 재확인하려고 눈물겹도록 애썼습니다.

그렇잖아도 교회가 이단교단과의 문제로 시끄러웠던 터라 마을 사람들의 시선이 곱지 않았는데 이제 모든 것을 정리하고 정상적인 교회로 일어나려고 애쓰는 과정에 계속해서 벌어진 끔찍한 사건 사고들 때문에 주민들은 더욱 탐탁지 않게 여겼습니다. 그리고 '하나님이 살아 계시다면 어찌 저런 험한 일들이 생길 수 있을까?' 수군거리며 교회에 쉽게 마음을 열지 않았습니다.

저는 그 이야기를 듣고 그 목사님을 도와서 꼭 다시 교회가 회복되었으면 하는 간절한 열망이 생겼습니다. 그래서 받아오던 두부 중 일부를 매주 그 교회에 전도용으로 보내게 되었습니다. 그때부터 정 목사님은 두부를 들고 이 마을 저 마을로 다니며 주님의 복음을 전했습니다. 비가 오나 눈이 오나 계속 전도했습니다.

죽을 뻔한 적도 있었습니다. 신명이랑 함께 죽은 아이의 할아버지가 교회에 부정적인 마음을 갖고 있었는데 위암수술을 했다는 소식을 접하고 저는 얼른 찾아갔습니다.

목사님과 사모님을 모시고 함께 찬송하고 예배드리면서 할아버지의 쾌유를 진심으로 기도했습니다. 그랬더니 할아버지의 마음이 녹아내리고 예수님을 영접하는 기도까지 했습니다.

또 한명의 영혼을 하나님께로 인도한 것입니다. 그래서 기쁜 마음으로 돌아오고 있었는데 구례에서 순천가는 중간 지점인 봉덕마을을 지나다가 조는 바람에 중앙분리대를 들이 받아 큰일 날 뻔한 사고가 있었습니다.

지금도 차의 좌측에 그 흔적이 남아 있습니다. 저는 눈을 뜬 순간 뒤에 유조차가 있고, 옆에 덤프트럭이 있는 것을 발견하고 브레이크를 밟지 않았습니다.

만약 브레이크를 밟았더라면 유조차와 덤프트럭에 깔려버렸을 것입니다. 겨우 빠져나와서 차를 갓길에 세우고 저는 그 자리에 무릎을 꿇고 기도했습니다.

'하나님, 오늘 천국 전하고 오다가 천국갈 뻔 했네요. 죽음도 두려워하지 않게 하소서. 제가 어떻게 되든지 복음을 증거하는 삶이 계속되기를 바랍니다. 복음을 증거하다가 죽어도 좋겠습니다.'

"우리가 담대하여 원하는 바는 차라리 몸을 떠나 주와 함께 거하는 그것이라 그런즉 우리는 거하든지 떠나든지 주를 기쁘시게 하는 자 되기를 힘쓰노라"
(고린도후서 5:8,9)

그후 정영택 목사님과 사모님이 계속 전도했더니 마을 사람들의 마음이 조금씩 움직이면서 교회에 한두 명씩 나오기 시작했습니다.

점점 교회는 새 힘을 얻어가고 있었습니다. 정말 감사한 일이 아닐 수 없습니다.

교회에 새 차의 필요성을 깊이 인식한 저는 교회가 새 차를 구입하는 도화선이 되길 바라는 마음에서 1백만원을 차량헌금으로 드렸습니다. 그랬더니 곧 주님의 은혜와 감동으로 그 교회 오광용 집사님을 비롯한 여러 성도들이 전심으로 협력하여 아담한 새 차를 구입하게 되었습니다. 얼마나 기뻤는지 모릅니다.

그해 7월에는 황수관 박사님의 신바람집회를 계획해서 교회에 힘을 실어드리기도 했습니다.

그후 목사님과 사모님은 두부와 구급약을 나눠 드리며 가가호호 방문하여 전도했고 마을회관과 회의장소의 집단적인 전도를 통해 영혼을 살리는 불씨를 지폈습니다.

대표적인 예로 독자마을 한 가정을 방문했는데 마침 농촌지도소에서 파견된 작목반 지도사가 강습을 하였고 이어 작목회의를 하고 있었습니다. 그곳은 빈 술병이 나란히 줄을 서 있었고 담배연기가 자욱했습니다. 목사님은 분위기를 반전시키기 위해 큰소리로 이렇게 말했습니다.

"여러분, 이렇게 맛있는 술의 재료를 만드신 하나님께 우리 감사

"여러분, 이렇게 맛있는 술의 재료를 만드신 하나님께 우리 감사 기도를 합시다. 하나님 아버지, 여기 모인 모든 분들이 술만 마시지 말고 성령의 새 술에 취해 하나님을 즐거워하는 백성들이 되게 하소서. 이제 세상의 일도 잘할 뿐 아니라 모든 복을 주시는 하나님께로 돌아와 천국을 예비하고 하나님을 기쁘시게 하는 사람들이 되기를 바랍니다. 예수님의 이름으로 기도합니다. 아멘."

저는 기도를 끝내고 깜짝 놀랐습니다. 그들도 함께 크게 "아멘" 했기 때문입니다.

아마도 이런 식으로 손님에 대한 예의를 표한 것 같았으나 저는 그들의 마음이 이것으로부터 열리기를 간절히 기도했습니다.

두부를 드리고 나오자 그들은 감사하다는 인사를 하고 이장님은 배웅까지 해주셨습니다. 날씨가 어찌나 덥든지 온몸이 땀으로 젖었습니다. 어떤 날은 비로 온몸이 젖기도 했습니다.

비가 많이 오던 날 저는 경로당을 방문했습니다. 목사님께서 "어르신들, 더우시죠? 여러분들을 위해 순천 승주약국 반 사장님이 오셨는데 건강에 대해 좋은 말씀 전해주실 것입니다. 잘 들어주세요."

저는 바로 말을 이었습니다.

"여러분 제가 여러분에게 약을 하나씩 드릴게요. 이 약은 우리 건강을 위해서 좋은 것입니다. 나쁜 기생충들 세 가지가 한꺼번에 빠져나와 속이 개운하게 됩니다. 꼭 하나씩 드세요. 그리고 이것보다 더 좋은 약을 두 가지 소개해드리겠습니다. 바로 구약과 신약입니다. 구약과 신약. 이것은 하나님의 말씀입니다. 다들 눈치 채셨죠? 이 약을 먹으면 우리 영혼 속에 있는 죄의 기생충들이 싹 빠져나와 버립니다. 그러면 우리 영혼이 얼마나 개운하겠습니까? 예수님 믿고 모두 천국 백성 되어서 기생충 없이 신나게 잘 살기를 바랍니다."

이처럼 저는 목사님과 고귀한 전도자의 발걸음을 끝없이 걸었습니다.

드디어 한 달 뒤 7월에 황수관 박사님의 신바람 집회가 개최되었습니다. 그 조그마한 동네 구례에 무려 330명이 운집했습니다. 거기서 하나님의 말씀은 선포되었습니다. 그 자리에는 구례군수와 군

끊임없는 전도는 구례 조그마한 동네에 330명을 불러들였습니다

청 간부들과 직원이 다수 참석하여 하나님의 은혜를 함께 나눴습니다. 이후 교회에 대한 마을 사람들의 인지도는 크게 높아졌으며 교회는 계속 힘을 얻어 지금은 장년 45명과 초중등학생 25명이 예배하는 아름다운 교회로 성장하였습니다.

이렇게 하나님은 욥의 시련을 통해 스러져가던 섬진강교회를 하나님의 은혜가 넘치는 교회로 역전시켜주셨습니다. 만약 그대로 정 목사님이 포기해 버렸다면 아무도 그 열매를 볼 수 없었을 것입니다. 그러나 정 목사님과 성도들이 포기하지 않고 기도와 전도로 다시 일어섰을 때 하나님은 엄청난 힘을 공급해 주셔서 기적을 경험하게 했습니다.

저는 이러한 변화를 보면서 진심어린 사랑은 반드시 상대방에게 전해져 돌 같은 마음도 여는 힘이 있다는 사실을 알게 되었습니다. 그리고 모두가 전도에 끊임없는 열정과 지속적인 사랑을 쏟아야 된다고 생각합니다.

전도한다는 것은 한 지역의 문화를 바꿀 수 있는 가장 적극적이고 혁신적인 일이라고 생각합니다. 우리나라의 한 지역 한 지역이 이렇게 전도로 변화되어 나라 전체가 하나님이 기뻐하시는 거룩한 땅이 되기를 기도합니다.

장례식장의 외침

섬진강교회에 김일규 집사라고 하는 분이 있었습니다. 저와는 섬진강교회 일로 잘 알던 사이였습니다. 그 분은 2005년에 병으로 돌아가셨습니다. 장례가 시작되고 입관을 하는 순서가 되었습니다. 입관을 지켜보기 위해 사람들이 관 주변에 둘러섰습니다.

그때 문득 김 집사님이 생전에 부인 외에 자기 가족들은 예수 믿는 사람이 한 명도 없다고 한 이야기가 떠올랐습니다. 그러면서 전도를 해야겠다는 마음이 생겼습니다.

저는 시신을 관에 넣는 순간을 전도의 기회로 계획했습니다. 그리고 목사님과 상의해서 제가 기도하고 목사님이 말씀을 전하기로 했습니다. 드디어 입관식이 진행되고 시신을 넣으려는 순간이 되었습니다. 아직 시신은 입관되지 못하고 누구나 볼 수 있는 상태로 있었습니다.

저는 계획대로 기도했습니다.

"하나님, 김일규 집사님은 이 세상에서 하나님을 잘 섬기다가 하나님의 부름을 받고 천국에 가셨습니다. 그런데 가족들은 주님을 믿지 않고 있습니다. 이번 장례식이 세상에서 말하는 영원한 이별의 식장이 아닌 천국 환송식이 되기를 간절히 소원합니다. 가족들 모두가 예수님을 믿고 고인이 그토록 소망하던 천국에 함께 가 영원한 기쁨 가운데서 다시 만나기를 바랍니다. 그러나 장례식을 끝으로 고인과 가족들이 영영 이별을 하게 된다면 너무나 가슴 아픈 일입니다. 성령님께서 여기 모인 사람들의 마음을 움직이셔서 꼭 예수님을 영접하는 일이 벌어지기를 간절히 기도합니다."

가족들은 기도할 때 이미 마음이 열리고 있음을 느낄 수 있었습니다. 목사님은 이어서 말씀을 전했습니다.

"기독교인들은 장례식을 천국 입성식이라고도 합니다. 교회에서는 장례식 날이 천국에서 천사들이 환호하고 축하하는 날이고 또 나중에 천국에서 만날 것을 예상하고 있기 때문에 죽음을 슬프기만 하거나 마지막이라고 생각하고 있지 않습니다. 그러나 보통 사람들은 장례를 영결식이라고 해서 죽은 이와 영원히 이별한다고 생각하고 있습니다. 고인께서는 저와 만났을 때 자주 가족들도 예수 믿어서 천국에서 만나는 것이 가장 큰 소원이라고 이야기하곤 했습니다. 오늘 저는 죽음이후 천국에서 다시 만날 수 있는 사람과 영원히 이별해야 하는 사람 사이에 서 있습니다. 고인인 여러분의 아버지는 분명히 여러분들을 천국에서 다시 만나고 싶어 할 것입니다. 그러나 여러분은 죽으면 영원히 이별인 사람들입니다. 고인은 아버지로서 얼마나 가슴이 아프겠습니까? 지금 이 시신이 관에 들어가 묻혀버리기 전에 모두 예수님을 믿고 구원 받아서 죽은 후에도 천국에서 다시 만날 수 있으면 좋겠습니다."

모두 숙연해졌습니다. 장례식장에서는 누구나 죽음을 생각하게 되고 특히 가족들은 사랑하는 사람을 잃은 아픔이 크기 때문에 그 아픔을 이해하고 함께 해주는 사람에게 호감을 가지게 되는 것 같습니다. 좋은 일보다는 나쁘고 가슴 아픈 일을 나누는 것은 분명히 예수님께서 기뻐하시는 일이라고 생각합니다. 더구나 그때 예수님의 복음을 전하면 더욱 의미 있고 귀한 일이 될 것입니다.

정 목사님께서 가족들의 영접을 이끌어내기 위해 말을 이었습니다.

"지금 여러분의 아버지는 천국 입성식을 하고 계십니다. 그러나 여러분은 영결식을 하고 있습니다. 여러분에게 묻겠습니다. 지금부터 예수님께서 십자가에서 우리를 위해 돌아가신 것을 믿고 여러분의 죄를 회개하여 여러분은 영결식이 아닌 천국입성식에 함께 참여하시겠습니까?"

참석한 사람들 모두가 대답했습니다.

"네"

정말 감격스러운 순간이었습니다. 저는 그 자리에서 눈물을 흘리고 말았습니다. 이별이 슬퍼 흘리는 눈물이 아니라 하나님께서 구원의 시간을 허락하신 것이 너무 기뻐 흘리는 눈물이었습니다.

그 날 모인 자녀들과 손자들은 모두 15명이었습니다. 섬진강교회

기도하며 전도하는 모습

정영택 목사님의 인도로 불쑥 끼어든 나와 함께 그들은 시신 옆에서 손을 잡고 예수님을 겸허히 영접했습니다.

이 세상을 살 때에는 믿는 사람과 믿지 않는 사람이 별로 차이 나지 않지만 죽음이라는 강을 건너면 완전히 다른 세상이 되어버립니다. 그것은 분명한 사실입니다.

죽음은 사람들의 관계를 끊고 갈라놓는 이유가 되는 것이지만 이렇듯 구원의 은혜를 얻으면 끊어졌던 관계가 연결되는 수단도 된다는 것을 깨달았습니다. 이제 그들은 아버지를 천국에서 볼 수 있다는 기쁨 속에서 살고 있습니다.

장례식장은 꼭 전도해야 할 장소중 하나입니다.

자살하려구요

전남 구례에 가면 은희미용실이라고 있습니다. 이연실이라고 하는 분이 그 미용실을 운영하고 있습니다. 그 분은 참 굴곡 많은 인생을 살아왔습니다. 첫 남편과는 사별했고 아이는 둘이 있었습니다. 두 번째 남편과는 피치 못할 사정으로 헤어졌습니다. 그 사이에는 또 아이가 한명 있었습니다. 결국 혼자서 아이 셋을 키우며 어렵게 살아오고 있었습니다.

섬진강교회 정 목사님이 가끔 방문을 해서 위로도 하고 권면도 했지만 그 마음의 외로움과 아픔은 치유되지 않은 모양이었습니다. 그분의 나이는 마흔을 넘어서고 있었는데 갈수록 삶에 대한 회의가 커져 살아갈 힘을 점점 잃고 있던 상태였습니다.

그러던 어느 날 정 목사님으로부터 급한 전화가 왔습니다.

"장로님, 은희미용실 이연실 원장이 마음이 많이 힘든 모양입니다. 한번 같이 가서 만났으면 좋겠습니다."

"무슨 일인데요?"

"그냥 죽겠다고 그래요. 너무 힘들다고 하네요. 빚도 많고 혼자 아이들 키우는 것도 힘들고, 자녀들을 잘 키울 수도 없을 것 같고 그래서 힘들다고 합니다. 얼마 전부터 계속 그러는데 한번 만나서 깊이 이야기를 해야 할 때가 된 것 같습니다. 장로님은 사람을 즐겁게 하는 귀한 달란트가 있으니 같이 가봅시다."

"그래요? 알겠습니다."

저는 그 길로 달려가서 정 목사님과 은희미용실을 방문했습니다.

썰렁한 기분이 드는 미용실이었습니다. 장사도 잘 되는 편은 아닌 것 같았습니다. 목사님과 함께 들어 선 제가 누군지 모르기 때문에 그 분은 저를 손님인줄로만 알았나 봅니다.

자리에 앉으라고 해야 하나 어떻게 해야 하나 망설이는 눈치였습니다. 목사님께서 저를 소개하고 좋은 말씀을 함께 나누려고 방문했다고 하자 그분은 그제야 상황을 이해했습니다.

"좀 앉으세요. 제가 차라도 대접할게요."

그러면서 그 분은 미용실 한 쪽에 있는 주방으로 가서 가스레인지에 불을 켰습니다. 그 때 저는 그분 옆으로 다가가 가스레인지에서 주전자를 내려놓았습니다. 뭘 하는 건가 어리둥절한 표정이었습

황수관 박사님은 잃어버린 영혼에 대해 한없는 안타까움과
사랑을 가지고 있습니다

니다.

"원장님, 이 불에 손 한번 올려 보세요."

"무슨 말씀이세요? 여기 손을 왜 올려놔요?"

"한번 올려 보세요. 저도 같이 올릴 테니까 올려 보세요."

"싫어요. 이 뜨거운데 손을 왜 올려요. 안 올려요. 이상한 분이네
정말."

불쾌한 심정이 되었나 봅니다. 그러나 저는 실례임을 무릅쓰고
그 분의 손을 우악스럽게 잡아서 불 위에 올려버렸습니다.

"앗 뜨거!"

저는 짧은 시간이었지만 손을 불 위에 잠시 머무르게 했습니다.

"놓으세요. 빨리요. 뜨거워요!"

그제야 저는 손을 놓아드렸습니다.

"원장님, 우리 이야기 좀 합시다."

놀라고 당황한 원장님을 저는 자리에 앉히고 마주 앉았습니다.

"원장님, 목사님으로부터 사정이야기를 좀 들었습니다. 제가 무례하게 손을 불 위에 올려놓았던 것을 용서하세요. 제가 할 이야기가 있어서 그랬습니다. 우리는 세상을 살 때 우리 마음대로 사는 줄 압니다. 그리고 죽는 것도 마음대로 할 수 있는 줄 압니다. 그러나 그것은 우리가 몰라서 그러는 것입니다. 모든 것을 만드신 분은 하나님이십니다. 한 가지 질문을 할게요. 우리가 가지고 있는 물건 중에 태엽으로 가는 시계가 있습니다. 요즘 나오는 간단한 시계 말고 예전에 나왔던 태엽 돌리는 무겁고 복잡한 시계요. 그 부품이 얼마나 많습니까. 그런데 그 부품들을 컵에 다 쏟아 넣고 막 흔들면 어떻게 되겠습니까?"

"어떻게 되긴요. 막 섞이겠지요."

"그것을 천년만년 계속 흔들면 완성된 시계처럼 딱 들어맞을 수 있을까요?"

"말도 안돼요. 그럴 리가 없죠. 사람이 손으로 맞춰야지 어떻게 흔든다고 그게 딱 들어맞겠어요?"

"그렇죠? 원장님, 이세상도 그렇습니다. 사람들은 우연히 세상이 만들어졌다고 하는데요. 세상이 그렇게 우연히 만들어질 확률은 시계부품을 다 쏟아놓고 막 흔들어서 원래대로 딱 맞춰질 확률과 같다고 합니다. 얼마나 믿을 수 없는 이야기입니까?"

흥분했던 그분은 저의 진지한 이야기에 심각하게 고민하는 것 같았습니다.

"원장님, 세상은 분명히 만드신 분이 있습니다. 그분은 바로 하나님이십니다. 사람도 하나님이 만드신 것입니다. 다시 말하면 사람의 생명은 하나님께 달려있는 것입니다. 그것을 우리 마음대로 하면 큰 벌을 받습니다. 사람이 죽으면 그냥 관에 들어가서 땅에 묻히는 줄로만 아는데 그렇지 않아요. 죽고 나면 우리를 만드신 하나님으로부터 심판을 받게 되는데 그때 천국과 지옥으로 나뉘어 가게 되는 것입니다."

저는 제가 은혜를 받았던 부자와 나사로의 이야기와 예수님의 십자가 사건을 전했습니다. 그 분은 귀 기울여 이야기를 듣고 있었습니다.

"원장님, 지옥에 가면 어떻다는 것을 조금이라도 경험하게 해 드리려고 아까 손을 가스레인지 위에 올렸던 것입니다. 뜨거웠죠? 그래요. 지옥은 뜨거운 곳입니다. 뜨거우니까 원장님은 손을 치우려고 소리를 지르고 비명을 지르고 난리가 났습니다. 만약 제가 계속 그 손을 붙잡고 불 위에 있었으면 어떻게 됐을까요? 끔찍하겠죠? 지옥은 그렇게 뜨거운 곳입니다. 피하려고 애를 써도 누가 꼭 붙잡고 있는 것처럼 영원히 불을 피할 수가 없는 곳입니다. 지금 원장님이 죽어버리면 그렇게 지옥에 가야 돼요. 지옥에요. 저는 그것이 안타깝고 말도 못하게 가슴이 아픕니다. 어떻게 지옥에 가게 내버려 둡니까? 그래서 제가 왔습니다."

정 목사님이 뒤이어 예수님의 복음에 대해 말씀하셨고 그분은 눈물을 흘리면서 죄를 회개하고 예수님을 영접했습니다. 또 마침 차에 성경책이 4권 있어서 그분과 자녀들에게 한 권씩 전해줄 수 있었습니다.

그러나 그 분은 완전한 삶의 회복이 되기까지는 시간이 필요했던 것 같습니다. 잠시 후에 다시 삶에 대한 부정적 생각을 말하기 시작했습니다. 그래서 저는 원장님에게 제가 하는 말이라 잘 안 믿는 것 같은데 모든 사람이 잘 아는 황수관 박사님도 예수님을 아주 열심히 믿는 사람이라고 말해주었습니다. 그리고 황수관 박사님을 오시라고 해서 직접 예수 믿는 이야기를 듣게 해 주겠다고 했습니다. 그랬더니 그런 거짓말이 어디 있느냐고 해서 저는 황수관 박사님께 전화를 드렸습니다. 박사님은 마침 그 근동 곡성지역 연합 집회에 오시던 길에 저의 이야기를 듣고 그 원장님의 구원과 그에 대한 확증을 위해서 직접 그 미용실로 오셨습니다.

황 박사님을 만난 원장님은 정말 기뻐하며 좋아했습니다. 의대 교수인 황 박사님의 이야기를 들으면서 정말 마음이 많이 회복된 것 같았습니다.

자살을 생각하고 삶에 대한 의욕을 완전히 잃어버렸던 그분은 지금 그대로 죽으면 아무런 의미가 없다는 것과 하나님께서 그분을 위해서 예수님을 보내셨다는 것과 또 그런 하나님께서 이 세상에서의 삶을 책임져 주실 것이라는 확신을 얻고 힘을 내게 되었습니다. 참 감사한 하루였습니다.

그리고 한 마리 잃어버린 양을 찾아 왔던 길을 되돌아가는 목자의 노력을 직접 보여 준 황수관 박사님에게서도 많은 것을 배웠습니다. 예수님께서 말씀하셨던 한 영혼의 소중함을 모두 체험할 수 있었습니다.

죽음의 문턱 - 오영숙 집사

2005년 10월 여수 율촌에서 큰 교통사고가 있었습니다. 승용차와 트레일러가 충돌한 사고였습니다. 승용차에는 부부가 타고 있었는데 운전자인 남편은 허리를 다쳤고 조수석에 탔던 부인은 전신에 골절상을 입고 내장이 파열되고 특히 간이 크게 상했습니다. 곧 환자들은 전남대학병원 응급실에 실려 갔는데 부인은 생명이 위독한 상태였습니다.

저에게 급한 전화가 걸려온 것은 바로 그 때였습니다.

섬진강교회 유경숙 사모님의 울먹이는 목소리가 들렸습니다.

"장로님, 큰일 났습니다. 오빠 내외가 사고를 당해서 지금 전남대병원에 입원했는데 기도를 부탁합니다."

"얼마나 다쳤는데요?"

"오빠는 괜찮은 것 같은데 올케 언니가 생명이 위독합니다. 지금 저희가 아는 모든 교회와 기도의 동역자들께 기도의 지원 부탁을 하다가 장로님께도 전화를 드렸어요. 꼭 기도 부탁드려요. 꼭이요."

그런 말에 기도만 하고 있지 못하는 저는 차를 타고 부리나케 운

홀리 클럽 기도의 용사들

전을 하며 갔습니다.

"하나님, 도와주세요. 도와주세요. 제발 살려주세요."

기도하면서 어떻게 왔는지도 모르게 병원에 도착해 응급실로 뛰었습니다.

목사님과 경황없는 유 사모가 침대 곁에 서 있었습니다. 정 목사님의 처남댁은 오영숙 집사로 순천에 있는 강남중앙교회에 다니고 있었습니다.

응급처치를 한 의사가 말했습니다.

"부인의 간이 심하게 파열돼 출혈이 심합니다. 일단 수술을 해야 합니다. 남편은 허리가 함몰되고 목 및 쇄골이 골절됐지만 곧 회복될 겁니다. 그런데 부인은 심각합니다. 회복가능성이 1%도 안 된다고 할까요? 쉽게 말하면 기적이 아니면 회복이 어렵다는 이야기입니다. 수술은 하겠지만 준비는 하셔야겠습니다."

그 준비란 장례 준비를 말하는 것이었습니다.

곧 수술이 이어졌습니다. 수술 후 의사는 간을 5분의 3정도 제거했다면서 나름대로 성공적인 수술이었지만 생명을 연장시킬만한 징후는 나타나지 않았다고 하면서 살 가망이 없음을 다시 확인시켰습니다.

순간 오 집사님의 자녀들이 오열했습니다. 이제 임종을 준비해야 할 순간이었습니다. 함께 온 20여명의 교인들도 포기하고 임종예배를 준비하고 있었습니다.

그러나 저에게는 "반 장로야, 왜 낙심하느냐?" 하는 하나님의 음성이 들리는 것만 같았습니다. 그래서 저도 모르게 큰 소리로 외쳤습니다.

"여러분, 수술은 의사가 하는 것입니다. 그러나 치료는 하나님이 하시는 것입니다. 왜 그것을 잊었습니까? 아브라함이 100세에 이삭을 낳은 것은 사람의 힘이 아니라 전적인 하나님의 힘이었습니다. 하나님께서 살려주실 것이라고 믿고 기도합시다. 우리의 기도를 들으실 것입니다."

그리고 그 자리에 무릎을 꿇고 앉아서 울부짖으며 기도했습니다. 저도 깜짝 놀랄 용기였습니다.

'안 살아나면 어떡하려고 내가 이러나?' 하는 생각이 들었습니다. 그러나 계속 기도했습니다. 어쩌면 그 생각을 지우려고 더 간절히 기도했는지도 모릅니다. 기도하다보니 여기 저기 함께 온 사람들도

하나님께서 새로운 생명을 허락하신 오영숙 집사와
그의 남편 유길상 집사

그 자리에 무릎 꿇고 기도하기 시작하는 것 같았습니다. 한 20여분 우리는 그렇게 간절하게 기도했습니다.

그 때 찬송 소리가 들렸습니다. 장애인선교단이 병원에 있는 사람들을 위로하기 위해 방문하며 부르는 찬송이었습니다.

> 나 주의 도움 받고자 주 예수님께 빕니다
> 그 구원 허락하시사 날 받으옵소서
> 내 모습 이대로 주 받으옵소서
> 날 위해 돌아가신 주 날 받으옵소서

잊을 수 없는 찬송이 되었습니다. 하나님의 날개가 사방을 감싸는 것 같았습니다. 포근하게 절대적인 존재에 안기는 것 같은 느낌이었습니다.

"내가 너와 사람들의 마음을 다 아노라."하시는 음성이 들렸습니다. 예수님께서 십자가 고통을 당하시고 "내가 너의 아픔을 대신 졌노라."고 말씀하시는 듯했습니다.

그리고 오 집사는 수술실에서 나와 중환자실로 옮겨졌습니다. 그러나 그 모습은 심장박동만 간신히 체크되는 시체 그 자체였습니다. 그리고 저는 제주도 제광교회에서 집회가 예정돼있어 곧 비행기를 타고 떠났습니다. 제주도에 도착해서도 계속 기도했습니다. 집회 전에도 후에도 계속 틈만 나면 기도했습니다. 그 다음 날 저는 미국에서 홀리 클럽이 주최하는 'S.F./L.A. 성시화대회'가 있어 또 비행기를 탔습니다. 가는 내내 기도하고 또 기도했습니다. 그렇게 샌프란시스코에 도착했습니다. 거기서 홀리 클럽 회원들이 예배를 드리게 되었는데 저는 오 집사 이야기를 하며 중보기도를 요청했습니다.

그때 예배 사회는 법무법인 로고스 대표변호사인 양인평 장로께서 했습니다. 장로님은 하나님의 도우심을 바라는 간절한 마음을 말씀하셨고 그곳 52명의 홀리 클럽 회원들은 감동하여 기도했습니다.

그리고 전화가 왔습니다. 정 목사님이었습니다.

전남대병원 역사상 한 개인에게 피를 수혈하다 부족하여 다른 병원에서 가져오는 것은 처음 있는 일이었다고 합니다. 왜냐하면 수혈을 계속 하고 있지만 지혈이 되지 않아 밑 빠진 독에 물 붓고 있

52명의 홀리 클럽 회원들

김준곤 목사님(S.F./L.A. 성시화 대회)

는 꼴이 되었기 때문입니다. 그래서 애만 태우고 있었는데 지금 피가 멈췄다고 합니다. 그러나 신장이 완전히 망가져서 몸의 노폐물을 배출하지 못하고 있다는 말도 함께 했습니다. 좋은 소식 한가지와 나쁜 소식 한가지였던 셈입니다. 그때 산호세로 이동하고 있던 중이었는데 도착해서 바로 예배를 드리면서 우리는 다시 기도했습니다. 그 시각 정 목사님 내외분은 기도 중에 처가로 내려가 장인과 장모님을 만났다고 합니다. 그동안 두 분은 교회는 형식적으로 다녔으나 믿음도 없고 유교적 관습을 따라 친지들의 안목을 저버리지 못해 그렇게 권면해도 듣지 않았던 것입니다. 그리고 제사 때가 되면 본인들은 교회에 다니니 추도 예배를 먼저 드리고 다른 방에서 정식으로 제사상을 차려놓고 친지들과 함께 지내는 제사에도 참여하는 기이한 모습을 보여 왔습니다.

부모에게 지극정성이던 큰아들 내외의 사고소식에 그분들은 크게 상심해 있었습니다.

정 목사님은 지금 온갖 약물은 투입하지만 신장기능이 마비되어 소변이 나오지 않고 있기 때문에 침대가 부족할 정도로 몸이 부어 있다는 소식과 의사가 벌써 장례 준비와 장기 기증을 이야기하고 있다는 소식을 전했습니다. 그리고 하나님을 믿는 아들 내외이고 부모도 하나님을 믿는 사람이니까 우상 섬기던 것을 버리고 하나님께 기도하자고 설득했습니다.

며느리를 살리자는데 그분들도 결단을 내리고 제사에 사용된 모든 집기들을 불살라 버리고 새벽기도까지 하기로 약속을 했습니다. 그리고 정 목사님은 다시 병원으로 가 오 집사 배에 손을 얹고 "예

하스데반 선교사님(S.F./L.A. 성시화 대회)

수 이름으로 명하노니 신장은 정상적으로 회복 될지어다" 하고 간절히 기도했다고 합니다.

다음 날 정 목사님으로부터 전화가 걸려왔습니다.

"장로님, 오 집사님 신장이 회복되었어요. 제대로 움직여요, 장로님."

1%도 안 되는 가능성이라고 했는데 살아났던 것입니다. 하나님은 그렇게 우리를 통해 기적을 보여주셨습니다. 정말 순전히 하나님의 능력이었습니다. 의사들도 어떤 조치도 하지 않은 채 장기 기증 이야기를 하고 있었으니까 말입니다. 하나님은 사람의 힘으로 될 수 없음을 인정하게 해 놓은 다음 그때부터 움직이시는 것 같습니다. 다시 한 번 하나님의 은혜와 사랑의 날개를 느꼈습니다. 세상 어디에도 그런 평안은 없을 것입니다.

오영숙 집사님을 살려주신 생명의 근원 우리 하나님께 감사와 찬양을 드렸습니다.

먼 곳 미국에서의 감격이었습니다.

제3부

거부할 수 없는
성령의 음성

만군의 여호와여 주의 장막이 어찌 그리 사랑스러운지요
내 영혼이 여호와의 궁정을 사모하여 쇠약함이여
내 마음과 육체가 생존하시는 하나님께 부르짖나이다
(시편 84:1,2)

성전을 짓다 6

너희는 산에 올라가서 나무를 가져다가 전을 건축하라
그리하면 내가 그로 인하여 기뻐하고 또 영광을 얻으리라
나 여호와가 말하였느니라
(학개 1:8)

웅철이의 신문배달

저는 순천중앙교회에서 신앙생활을 시작하여 복음 헌병, 두부 전도왕이라는 별명을 갖고 전도에 열심을 내고 있습니다.

기도하고 봉사하는 일에는 누구보다 먼저 발벗고 나섰습니다.

어머니께서 예수님을 영접하고 돌아가신 후에 기도를 할 때마다 교회를 세워야겠다는 생각이 들었습니다. 그래서 교인들을 설득하기도 하고 때로는 논쟁도 하면서 성전 건축을 위해 힘썼습니다. 그래서 1989년 베다니 연수원을 먼저 세웠습니다.

그리고 계속 성전 건축에 대한 열망을 갖고 있던 중 놀라운 일을 경험하게 되었습니다. 어머니가 사주신 야산과 같은 땅이 한 1만 6천 평이 있었는데 순천시가 도시 재개발 사업을 하면서 그 땅 중 일부가 아주 좋은 값에 팔린 것입니다. 저는 그 땅을 판 돈 가운데 일

부를 성전 건축에 드렸습니다. 물론 아내의 격려도 큰 힘이 되었습니다.

그런 과정들을 통해 건축한 것이 중앙감리교회와 현재 출석하고 있는 왕지감리교회입니다.

교회를 건축할 때에는 직접 나서서 함께 기둥을 올리고, 칠도 하고, 질통을 메고, 벽돌도 나르는 등 몸으로 직접 참여 했습니다. 성도들도 한 마음이었습니다. 어떤 집사님은 공사기간 내내 식사를 제공했고 또 어떤 분은 집을 옮기면서까지 건축헌금을 내기도 했습니다.

그렇게 지어진 성전이기에 완공되던 날 성도들과 저는 무릎 꿇고 눈물을 흘리지 않을 수 없었습니다.

저는 앞으로 성전건축과 관련한 꿈이 있습니다. 왕지교회가 있는 자리에 제 소유의 땅이 있는데 그 곳에 스포츠 센터를 건립해서 구체적인 선교 사업을 하려고 합니다.

그리고 전라도를 포함한 남부지방에는 생활고를 겪는 목회자들과 미자립교회들이 많습니다. 농촌 선교를 큰 목표로 두고 앞으로 그 분들이 기본적인 생활을 할 수 있도록 지원하는 문제와 건축에 남은 인생을 바치고 싶은 소망이 있습니다.

빌립보서 4장 13절의 "내게 능력 주시는 자 안에서 내가 모든 일을 할 수 있느니라"는 말씀이 저를 통해 이루어지기를 기도합니다.

그러나 시작은 정말 어려웠습니다. 어머니가 돌아가실 때 받은 유산은 2만 1천 평 농장이 전부였습니다. 제가 농장을 할 당시 시가는 7천만 원 정도밖에 되지 않았습니다. 그런데 저에게 어떻게 성전을 지어야겠다는 생각이 그토록 간절하게 생겼는지 지금도 모르겠습니다.

저는 순천에 있다가 결혼을 하고 광영으로 옮겨 약국을 시작하게 되었는데 약국 뒤에 조그만 방이 하나 있었습니다. 그 방이 4.5평 정도 된 것 같습니다. 그런데 그것을 반으로 갈라서 반은 웅철이와 아내, 제가 살고 반은 약국에 있던 직원이 살았습니다. 화장실도 반으로 갈라서 반은 화장실 반은 주방으로 사용했습니다.

여름에 샤워 한 번 제대로 할 수 없었던 상황이었지요. 그렇게 한 5년을 살았습니다.

그러고 나서 16평짜리 아파트로 이사할 수 있었습니다. 거기서

어려운 시절을 함께 겪어준 사랑하는 아들 웅철과 아내

또 한 가지 작은 일이 있었습니다. 웅철이가 이제 어느 정도 커서 자전거를 탈만한 나이가 되었는데 어느 날은 자기도 자전거를 한대 갖고 싶었던 모양입니다. 그런데 그 때 경제적으로 많이 어려웠습니다. 당시에 저는 친구들 모임에도 잘 나가지 않았습니다. 워낙 가진 것이 없어서 회비 3만원 낼 돈이 없었기 때문입니다. 그런 시절인데 자전거를 사주려니 부담스러웠습니다.

그래서 궁리 끝에 아들 웅철이가 신문배달을 하겠다고 했습니다. 아들이 직접 돈을 벌어 보는 것도 좋은 경험이 될 것이고 자전거를 살 돈도 만들 수 있으니 일석이조였습니다. 그러나 부모가 초등학교 2학년 아들을 신문배달 시킨다는 것도 마음이 편한 일은 아니었습니다.

아들의 학교 중국 칭화 대학 앞에서

마음이 아팠지만 아들에게도 좋은 일이라고 생각하고 어려운 시기를 견뎠습니다. 그런 가운데서도 웅철이는 도지사 상을 받아왔습니다. 어려운 때여서 더욱 아들이 자랑스러웠습니다. 하나님께서는 어려움을 이길 수 있는 기쁨을 꼭 함께 주신다는 것을 다시 한번 깨닫는 순간이었습니다.

어느 날 보니 같은 교회에 다니는 허영기 집사라는 분이 계셨는데 십일조를 2백만 원 하는 것을 보게 되었습니다. 정말 우연히 본것이지만 2백만 원이라는 큰돈을 교회에 낸다는 것은 저로서는 상상도 할 수 없는 일이었습니다. 그것을 보고 집에 와서 곰곰이 생각했습니다.

'내가 하나님의 뜻대로 살기를 바라고 세상에서 전도자가 되기로 작정한 사람인데 하나님께 십일조를 드린다는 것은 정말 귀하고 복된 일이겠구나.'

그렇게 생각하고 나서 십일조를 드리기 시작했습니다.

기억에 남는 십일조는 광영에 땅을 샀을 때의 일입니다. 돈은 없는데 땅은 사야겠기에 1억을 빌렸습니다. 그런데 이자가 자그마치 한 달에 3%나 되었습니다. 이자 부담이 너무 커서 계속 전전긍긍하고 있는 사이에 1억4천만 원이 돼버렸습니다. 암담함은 말로 다 할 수 없었습니다. 그러나 다른 방법이 없었기에 저는 열심히 기도했습니다. 결국 그 땅을 팔기로 결정하고 내놓았습니다. 그랬더니 1억 6천만 원이나 받고 팔 수 있었습니다.

그때 허영기 집사가 생각났습니다. 저는 바로 교회에 가서 땅값 1억 4천만 원을 제한 2천만 원 중 10%인 2백만 원을 바로 헌금했습니다. 얼마나 기뻤는지 모릅니다. 십일조를 한 기쁨은 정말 큰 것이었습니다. 허영기 장로가 그렇게 많은 십일조를 하는 이유를 알 것 같았습니다.

그렇게 시작된 십일조와 헌금은 성전을 건축하는데 밑바탕이 되었습니다. 저는 내 것이라는 생각을 그때부터 지금까지 한 번도 해본 적이 없습니다. 하나님 것이라고 생각했기 때문에 성전 짓는데 그렇게 드릴 수 있지 않았나 싶습니다.

하나님은 그것을 기뻐하셨던 것 같습니다. 제가 가지고 있던 땅들이 모두 값이 치솟기 시작했습니다. 마음만 먹고 시작한 성전건축의 꿈이었는데 하나님은 그렇게 도와주시기 시작했습니다.

저는 믿음을 가지고 성전건축을 향한 구체적인 계획들을 이루어가기 시작했습니다.

생애처음의 건축 - 베다니 연수원

저는 2박 3일 행군금식기도 이후 정상 체력으로 회복하고 나서 전도의 중요성과 함께 하나님께서 주신 마음이 있었습니다. 그것은 성전을 짓는 일이었습니다. 그냥 생각을 해 본 정도가 아니고 마음 속에서 끓어오를 정도였습니다.

그 때의 순천중앙감리교회는 순천 행동에 있었는데 124평의 터에 7십 평짜리 건물로 이루어진 교회였습니다. 주차 문제 등 수용

규모에 있어서 여러 가지 문제가 발생하고 있었습니다. 그래서 권 사님들에게 교회를 짓자고 이야기했더니 모두 반대를 하는 것이었습니다. 여러 번 설득을 했는데 참 어려운 일이었습니다. 너무 완강한 반대에 부딪치니 저도 물러나는 수밖에 없었습니다. 그렇지만 성전을 다시 짓고 싶다는 생각은 버릴 수 없었습니다.

저는 목사님을 찾아가 이런 저런 이야기를 하고 투표를 해서 과반수가 되면 교회를 짓기로 했습니다. 그래서 투표를 했는데 딱 1표차로 이겼습니다. 드디어 성전을 지을 수 있게 된 것입니다.

어머니께서는 저에게 목장부지로 2만 1천 평을 주셨습니다. 5~6천 평은 군부대로 들어가고 1만 5천 평 정도가 남아 있었는데 나환자촌, 화장터, 인분저장고 그리고 공동묘지가 있는 그런 땅이었습니다.

그런데 한번은 홍형표 목사님이 목장에 오셔서 "반 집사님, 여기에 목사님들이 기도할 수 있는 기도실 하나 있었으면 좋겠네요."라고 말씀하셨습니다. 그 목사님의 마음이 와 닿았습니다. 그래서 바로 기도원 건물을 짓기 시작했습니다. 물론 어려운 점이 많았습니다. 주변 사람들은 평신도 주제에 성전을 짓는다고 난리냐 하는 말로 비난하기도 했습니다.

그러나 돕는 손길도 많았습니다. 기도원 공사를 맡았던 서정길이라는 분이 계신데 그 분은 월남전에 해병대 하사로 다녀온 경험이 있었습니다. 참 맹랑한 사람이었습니다. 그런데 그 사람이 저와 성전을 지으면서 은혜를 받기 시작해 결국 교회에 출석하게 되었습니다.

점점 공사가 진행되고 기도원의 모양이 드러나자 교회에서도 조금씩 도와주기 시작했습니다. 1989년 5월 5일 드디어 기도원이 완성되고 저는 '베다니 연수원' 이라고 이름을 지었습니다. 그곳은 목장 부지였기 때문에 목장 사람들이 쓰던 숙소가 세 동 있었는데 각각 나사로관, 마리아관, 마르다관이라고 이름을 지었습니다.

이렇게 연수원을 완성하자 하나님께서 선물을 주셨습니다. 첫 번째 선물은 바로 땅이었습니다. 광양시 광영동에 서울 명동 같은 땅이 한 칠십여 평 있었는데 그 땅을 추첨해서 당첨되는 사람에게 땅을 주는 일이 있었습니다. 아파트 분양과 비슷한 것이었습니다. 그때 주택은행 지점장이시던 서채석 권사님이 알려주셔서 저도 거기에 참여하게 되었는데 제가 당첨이 되었습니다. 금싸라기 땅을 제가 받은 것이지요.

두 번째 선물은 목장근처에 있던 나환자촌이 이전한 것이었습니다. 나환자촌에서 평생 봉사하시던 목사님이 하루는 찾아 와서 나환자촌이 순천시에서 지원을 해줘서 다른 곳으로 나가게 되었다고 알려주는 것입니다. 그리고 얼마 후 신문에 공동묘지가 없어진다고 기사가 났습니다. 땅값은 급격히 치솟았습니다. 평당 5천원 하던 것이 3만원으로 올라버렸습니다.

그러나 그 땅을 팔 일도 없고 해서 그냥 그런가 보다 하고 시간이 흘러갔습니다.

성전건축행전 - 중앙감리교회 신축

베다니 연수원 개원식 때 격려하시는 홍형표 목사님

중앙감리교회의 성전건축 문제는 제가 베다니 연수원을 지은 후 조금씩 진행되어 갔습니다. 그래서 일단 현재 교회건물이 있는 땅을 파는 일과 새로 이전할 땅을 알아보고 매입하는 일을 우선 처리하기로 하고 진행했습니다.

당시 교회 땅을 파는 일을 제가 맡게 되었습니다. 그때 알던 변호사 한 분이 새로 광주에서 개업을 하면서 부동산도 매입하려고 했는데 제가 그 교회 땅을 소개하니 선뜻 매입하겠다고 했습니다. 그래서 평당 4백 5십만 원씩에 팔게 되었습니다. 한 가지 안타까운 것은 그 땅이 구시가지이다보니 신시가지가 새로 생겨 땅값이 하락되었다는 점입니다.

이번에는 이전할 땅을 알아보기로 했습니다. 신도시가 들어오는 쪽에 마침 좋은 땅이 있어서 구입하려고 했는데 그 땅은 주인이 5명이나 되어 마음이 안 맞고 그랬는지 팔 의사가 없는 것처럼 보였습니다. 그 땅 가운데 모래가 쌓여있었는데 우리가 그 땅을 돌면서 기도하자고 목사님께서 제안을 했습니다. 목사님과 일부 성도들과 함께 저는 그 모래더미를 돌았습니다. 여리고성을 돌듯이 저희는 돌면서 큰소리로 기도를 했습니다. 무릎을 꿇고 모래더미에 머리를 박고 기도하기도 했습니다.

저는 그 때 광영에 건물을 하나 신축하고 있었는데 2층 상판을 올리는 공사를 하기로 한 날이었습니다. 그런데 자꾸 마음이 순천으로만 가는 것이었습니다. 그래서 기도를 했습니다. 그런 마음이 더 강하게 들어 저는 조용히 하나님의 음성을 기다렸습니다. 그날 성령의 인도하심을 느낄 수 있었습니다. 지금 곧 순천에 가면 하나님께서 예비하신 땅이 있겠다는 확신을 가지고 순천으로 출발했습니다. 2층 상판 올리는 것도 급한 일이었지만 하나님의 음성이 더 급한 일이었습니다.

순천에 도착해서 아무 부동산이나 들어가서 "제가 땅이 좀 필요한데 나온 땅이 없나요?"하고 물었더니 바로 조례동 833번지, 저희가 그렇게 사려고 애를 썼던 그 땅을 보여주는 것이었습니다. 그것을 본 순간 제 마음은 두근두근 하기 시작했습니다. 하나님이 움직이시는구나 생각이 들면서 말입니다. 그렇지만 저는 그냥 태연하게 "그 땅이 언제쯤 나왔습니까?" 물어보니 "오늘 아침에 나왔습니다." 그러는 것 아니겠어요. 그 말을 듣고 보니 아침에 마음이 그렇게 급했던 것이 이것 때문이 아닌가 싶었습니다. 저는 바로 구입하겠다고 하고 그 날이 토요일이어서 월요일에 다시 올 테니 진행해 달라고 부탁하고 갔습니다. 돌아가서 또 기도했습니다. 잘 살 수 있도록 인도해 주시라고 계속 기도했습니다.

월요일이 되어 목사님이 가셨는데 무사히 잘 계약하시고 돌아오셨습니다. 그렇게 풀리지 않던 교회부지 매입이 그렇게 하나님의 은혜로 해결되었습니다.

그 땅은 615평이었는데 분명히 하나님께서 주신 것이었습니다.

1990년 성탄전야에 성탄절 축하 성극이 끝난 후 목사님께서 그 계약서를 성도들에게 보여주자 성도들도 모두 함께 눈물을 흘리면 하나님께 감사 드렸습니다.

파는 일과 사는 일은 하나님께서 저를 통해 잘 마치도록 해주셨

발이 찢어져 피가 흐르는 것도 모르고 열심히 지었던
성전건축

습니다. 그런데 새로운 문제가 발생했습니다. 교회 건물을 완공할 때까지 임시로 가 있을 곳이 없었습니다.

그 때 생각난 것이 베다니 연수원이었습니다. 규모는 작았지만 중앙감리교회 교인들은 다 들어갈 만했고 어느 레미콘 공장장이 질이 좋은 자갈을 잔뜩 싣고 와서 기초공사 할 때 깔아줬기 때문에 쾌적한 상태를 유지할 수 있었습니다. 습기도 없고 보온도 잘 되고 아주 좋은 환경이었습니다. 저희는 공사를 하는 동안 그 곳에서 편안하게 예배를 드릴 수 있었습니다. 목사님 사택도 아담하게 마련해 드렸습니다.

조립식으로 연수원을 지은 경험은 있지만 성전을 신축하는 것은 그것과 비교할 수 없을 정도로 아주 큰일이었습니다. 비용도 아주 많이 들었습니다. 교회의 신축 부지를 매입한 후 남은 돈은 1억 원이었습니다. 그 돈으로는 기초공사를 하면 끝이었습니다. 그 공사마저도 돈이 모자라서 성도들이 모두 힘을 모아서 직접 공사를 했습니다. 지하 공사할 때는 정말 힘들었습니다. 레미콘에서 부어주는 콘크리트를 리어카에 싣고 지하 구석구석을 다니면서 공사를 하는 것이었습니다. 어느 날 저는 장화를 신고 그 일을 하고 있었습니다. 그런데 점점 머리가 어지러워지면서 발이 자꾸 끈적끈적한 것입니다. 그러고 보니 제가 있는 자리 주변이 시멘트 색깔이 아니고 붉은 빛을 띠고 있는 것 아니겠습니까. 시멘트가 불량품인가 하는 생각도 했지만 그것보다는 신발에 문제가 있는 것 같아서 일단 장화를 벗었습니다. 그랬더니 제 발에 못이 두 개나 박혀있었습니다.

저는 그것도 모른 채 계속 분주히 왔다 갔다 하느라고 피가 많이 흘러 머리가 어지러웠던 것입니다. 그러나 아파야 하는데 아프지가 않고 오히려 기뻤습니다. 물론 백분의 일, 천분의 일도 안 되지만 제가 성전을 지으면서 조금이라도 예수님의 고통에 동참했구나 하는 생각이 들면서 너무 기뻤습니다.

그렇게 공사를 해 나갔습니다. 공사가 끝나면 연수원에 가서 기도를 했습니다. 물질을 허락해주시라고 헌금도 많이 내면서 꼭 교회를 짓게 해달라고 기도했습니다.

그렇게 6개월 정도 되었을 때입니다. 이제 더 이상 돈을 구할 수 없어서 제가 가지고 있던 목장 부지를 팔려고 했는데 아무도 사고자 하는 사람이 없었습니다. 교회 건축 자금 1억 원마저 다 써버리고 한 푼도 남은 것이 없었습니다.

한편 저는 형님이 유업으로 받아 운영하시던 약국 옆에 조그만 공간이 있어서 당시 유행하던 2만 원대 구두 순천 대리점을 시작하게 되었습니다. 그런데 그 가게 개업 날 제가 그 브랜드 매장 중에서 판매량 전국 1등을 하게 되었습니다.

개업 전날 순천에 큰 수해가 나서 신발이 다 떠내려 가버리는 일이 생겼습니다. 순천 시민들이 신발이 없어져서 새로 사긴 해야겠는데 수해를 입은 마당에 비싼 신발 사기는 어렵고 2만 원 정도가 딱 적당해서 저희 가게로 몰려들었던 것입니다.

제가 가게 운영하려고 5천 켤레를 갖고 왔는데 그 날 4천 켤레를 팔아 버렸습니다. 수해 난 것은 불행한 일이지만 하나님께서는 거기에 꼭 필요한 일을 순간적으로 저로 하여금 하게 하셨다는 생각 밖에 안 듭니다.

그렇게 하나님의 은혜로 구두 가게를 운영하고 있었습니다.

하루는 교회 건축 자금 문제로 베다니 연수원에서 금식 기도를 하고 있는데 직원으로부터 전화가 왔습니다.

광양제철단지에 있는 삼정광업이라고 하는 회사에서 손님이 오셨다는 겁니다. 그래서 사연을 들어보니까 그 회사 직원이 1천 명이 되고 그 부인들도 1천 명 정도 되는데 이번에 직원들에게 선물로 2만 원짜리 구두를 모두 주려고 하는데 티켓을 2천장을 달라는 것이었습니다.

그러면서 그 회사 담당자를 바꿔주는 것입니다. 저는 큰 맘 먹고

순천중앙교회를 위해 기도와 물질로 섬겨주신 광림교회
원로 김선도 감독회장과 함께

금식하려고 왔는데 솔직히 유혹되었습니다. 내려가야 되나 싶은 마음이 슬며시 생기기도 했습니다. 잠깐 내려가면 4천만 원이 들어오는 것이고 30%만 이익이 난다고 해도 1천 2백만 원이 한꺼번에 들어오는 거 아닙니까? 그런데 놀랍게도 저는 그 분한테 제가 교회일 때문에 지금 금식기도를 하러 와서 사정을 봐주시면 제가 기도 끝나고 내려가서 잘 해드리겠다고 말해버렸습니다.

그랬더니 그 분이 "이런 배가 많이 불렀구먼, 딴 데로 가야겠네." 하는 것입니다. 그래서 또 한 번 유혹이 왔습니다. 내려간다고 하고 얼른 일을 보고 다시 올라오면 되는 것 아닌가.

그렇지만 결국 저는 계속 기도하기로 했습니다. 기도를 마치고 내려왔는데, 이틀 후에 삼정광업 그 직원이 저를 찾아 왔습니다.

"어떻게 또 오셨습니까?"

"지금이라도 구두 티켓을 살 수 있죠?"

"그럼요, 당연하죠. 그런데 엊그제 다른 곳에 가신다고 하셨는데 좀 모자랐던 모양이지요?"

"다른 가게를 갔었죠. 그랬는데 그 가게 사장이 자꾸 자기 이익만 생각하고 사는 사람 입장은 전혀 생각을 안 해주는 거예요."

"그런 일이 있으셨어요?"

"예, 그래서 기분 나빠서 그냥 나와 버렸습니다. 그리고 저도 교회 다니는데 반 사장님께서 교회일로 기도하신다고 했는데 제가 못되게 말을 한 것 같아서 너무 죄송해서 다시 오게 되었습니다. 정말 죄송했습니다."

"아니, 별 말씀을 다하십니다."

"정말 죄송합니다. 구두티켓은 2천장 주시면 됩니다. 대금은 회사에서 바로 입금시켜 드릴 겁니다."

"예, 잘 알겠습니다. 정말 감사합니다. 기회 되면 또 뵙지요."

"너희는 먼저 그의 나라와 그의 의를 구하라 그리하면 이 모든 것을 너희에게 더하시리라"고 하신 마태복음 6장 33절 말씀은 거짓이 아니었습니다.

그리고 또 제가 있는 목장 부지 옆에 자동차운전학원이 들어오기로 되어 있는데 입구가 겹치니 땅을 일부 팔면 좋겠다는 것이었습니다. 그래서 그 분에게 땅을 팔았습니다. 그 후에도 그 분에게는 조금씩 몇 차례 더 팔았습니다.

그런 일들로 인해 교회 건축은 쉬지 않고 계속 할 수 있었습니다. 원래 평당 3만원 하던 땅인데 제가 팔 때는 5십만 원에서 6십만 원씩 했습니다. 감사한 일이 아닐 수 없습니다.

저만 그랬던 것이 아니고 여기저기서 성도들이 헌신했습니다. 어느 자매는 건축헌금을 한다고 결혼예물을 모두 하나님께 바쳤습니다. 또 어떤 장로님은 전세금을 빼어 모두 드리기도 했습니다. 그렇게 조금씩 모아서 건축 자금을 마련하게 되었습니다.

기독교대한감리회 감독회장이었던 김선도 목사님께서 오셔서 집회를 인도해 주신 적이 있었습니다. 그때 저는 은혜를 많이 받고 매우 감사해 농장에서 키웠던 사슴의 녹용을 직접 잘라서 정성스럽게 전해드렸습니다. 김 목사님은 그 후에도 순천 지역에 한 번 더 오셨다가 교회에 들러 건축하는데 도움이 되기를 바란다면서 친히 헌금을 하고 가셨습니다. 김 목사님의 격려 덕분에 교회는 분위기가 매우 좋아져 더 열심히 건축을 할 수 있었습니다.

중단 중에 있었던 어려웠던 교회를 천안에서 오신 양금희 목사님이 부임하셔서 최선을 다해 완공할 수 있었으며, 믿음 좋은 권성주 장로님은 공사책임자로 헌신하셨고 강점례 권사님이란 분은 중앙 감리교회에서 계속 저를 위해서 기도해 주신 할머니입니다. 그 분은 시장에서 갈치 장사를 하면서 1년 내내 갈치를 모아 정성스럽게 갈치젓을 담가 저에게 주셨습니다. 그렇게 고생해서 담근 갈치젓을 받았을 때 너무 감격스러웠습니다. 저는 그 젓갈을 "사랑의 젓갈"이라고 이름 붙였습니다. 서인권 권사님은 깊은 산속에서 약초를

질통지고 있는 모습

캐서 그것으로 생활하던 분인데 그 돈으로 교회 건축헌금을 한푼 두푼 하셨습니다. 그래서 나중에 보니까 돌아가셨는데 전 재산이 1만 4천원이었습니다. 전부 다 헌금하고 남은 돈이 1만 4천원밖에 안되었던 겁니다. 참 감동을 많이 주신 분입니다.

그런 헌신들이 쌓여서 드디어 12년 전에 교회가 완공되었습니다. 시작은 정말 힘들었지만 꿈을 가진 사람에게 하나님께서는 사람들과 물질과 시간을 주셨습니다. 하나님을 믿는다면 꿈은 반드시 이루어진다고 생각합니다. 다만 포기하지 않는 것이 중요한 것 같습니다. 그동안 성전을 건축하면서 여러 번 포기하려고 했지만 견뎌냈던 것이 참으로 하나님의 은혜였습니다.

주차장도 없고 규모도 작고 시설도 좋지 않았던 중앙감리교회는 훨씬 좋은 환경에서 훨씬 많은 성도들을 수용하며 예배를 드릴 수 있게 되었습니다.

중앙감리교회의 머릿돌에는 "호남선교 40주년 예배당"이라고 적혀 있습니다.

그리고 그 안에는 타임캡슐을 넣었는데 저는 그 때도 전도의 열정이 있어서 이렇게 적었습니다.

1. 하나님 은혜 안에서 구원받게 해주셔서 감사드립니다.
2. 사랑하는 모든 가족들을 천국으로 불러주셔서 감사드립니다.
3. 제 손이 닿는 사람, 제가 바라보는 사람, 제가 말을 거는 사람이 모두 구원받게 해주셔서 감사드립니다.

우뚝 솟은 중앙감리교회

먼 훗날 타임캡슐이 개봉될 때까지 이 교회에서 뜨거운 전도가 계속 되기를 기도합니다.

순천감리교회개척

제가 잠시 다녔던 교회 중에 동광양감리교회라고 있습니다. 그런데 그 교회는 구조가 매우 답답하게 되어 있어서 보수하여 고치기로 하고 목사님께 말씀드렸습니다. 그리고 제가 일단 1천만 원을 대출 받아 교회를 고치는 작업을 시작했습니다. 교회 내부를 시원하게 보이게 하고 찬양단도 만들었으며 여러 가지 필요한 물품들을 사서 공급하기도 했습니다.

그렇게 그 공사가 마무리 되고 있을 즈음 한 분이 찾아와 제가 가진 땅이 꼭 필요하니 50평만 팔라고 했습니다. 한 평에 2백만 원씩 줄 테니 꼭 팔라고 해서 이게 무슨 일인가 생각했지만 하나님께서 무슨 계획이 있으신가 보다 싶어 팔았습니다.

그 때 받은 돈 1억 원 중 1천만 원은 십일조로 드리고 1천만 원은 대출 받은 것 갚고 8천만 원을 갖고 있었습니다.

그리고 저는 순천감리교회를 개척하게 되었습니다. 생애 처음으로 교회를 개척했던 것입니다. 감격스러운 은혜의 시간이었습니다. 순천지역에 감리교회가 워낙 없는 것도 제가 교회 개척을 한 이유 중 하나였습니다. 저는 예배드릴 장소를 물색하다가 좋은 곳을 발견하고 기도를 시작했습니다. 그런데 아무리 생각해봐도 제 땅을 드려서 그 돈으로 건물을 얻는 것이 좋겠다는 생각이 들었습니다.

그렇지만 제 목장 부지중에서 한가운데 있던 5백평은 제 땅이 아니었고 이런 저런 일에 땅을 좀 쓰려고 해도 참 어려웠습니다.

그 때부터 저는 그 문제를 가지고 계속 기도하기 시작했습니다.

어느 날 베다니 연수원에서 그 문제 때문에 기도를 하고 나오는데 어떤 분이 저를 기다리고 있었습니다.

"저, 반봉혁 사장님이신가요?"

"예, 제가 반봉혁입니다."

"그러세요, 저는 이 땅 주인입니다. 살기는 비래마을에 살고요."

"아, 그러세요? 처음 뵙습니다. 그런데 어쩐 일이신가요?"

"네, 제가 공단에서 사업을 하고 있는데 이번에 좀 사정이 어렵게 되었습니다. 오늘이 넘어가면 부도가 나게 생겼는데 반 사장님이 저를 좀 살려주십시오."

"살리고 안 살리고를 제가 어떻게 결정하겠습니까? 어떻게 해드리면 되는데요?"

"제 땅 5백평을 사주십시오. 그것도 오늘 사주십시오. 만약 오늘 처리가 안 되면 땅도 묶여버리고 저는 도저히 돈을 구할 수 없어 부도가 나고 말게 생겼습니다. 그러니 꼭 오늘 사주십시오. 부탁입니다."

사정을 듣고 보니 참 딱했습니다. 그리고 바로 그 문제로 기도하고 나오는 길인데 제가 무었을 망설였겠습니까?

그 자리에서 그 땅을 사버렸습니다. 평당 15만원씩 계산했으니까 5백평이면 7천 5백만 원이 됩니다. 그 때 제가 8천만 원을 갖고 있었지 않습니까? 하나님께서 인도하시는 것이라는 확신이 들었습니다. 머지않아 좋은 일이 생길 것 같았습니다.

그런데 얼마 후 제 땅 중 5천 평이 시에서 진행하는 택지개발지구에 포함되어 보상금을 받게 되었습니다. 전부 17억 원을 받았습니다. 평당 34만원씩 계산된 셈입니다. 15만 원짜리 땅이 순식간에 두 배가 되어 버렸습니다.

저는 거기서 십일조로 1억 7천만 원을 순천감리교회에서 하나님께 드렸습니다. 또 1억은 교회에 빌려주기로 했습니다. 그렇게 드린 돈으로 교회 개척을 잘 마쳤습니다. 어떤 사람들은 절더러 미쳤다고 합니다. 그 많은 돈을 다 교회에 바쳐버린다고 말이지요. 그러나 주신 분이 하나님인데 어떻게 제가 욕심을 낸다고 그게 제 것이 되겠습니까? 그렇게 하나님께 다시 드리는 것이 저는 매우 좋습니다. 하나님이 하신 일이라는 것을 너무 확실하게 알고 있기에 저는 하나님의 계획대로 쓰시라고 내놓을 수밖에 없습니다. 지금도 마찬가지입니다. 하나님께서 청지기로 저를 부르신 것이지 재산 모으라고 부르신 것이 아니기 때문입니다.

순천감리교회는 그렇게 개척되었습니다.

그리고 현재는 새 건물을 잘 짓고 은혜로운 목사님의 인도로 부흥하여 순천지역의 감리교회 성장에 크게 기여하고 있습니다.

왕지감리교회 개척과 건축

7년 전 7월 17일 왕지감리교회를 개척하고 건축해서 입당예배를 드렸습니다. 그 교회가 지어진 부지는 어머니가 주신 목장부지에서 가장 좋고 가장 높은 땅입니다. 그 땅을 하나님께 드렸습니다. 그러나 건물을 올릴 돈은 없었습니다. 그랬더니 아내가 한마디 했습니다.

"왜 그것만 드려요?"

"그럼 어떻게 해요?"

"광영에 우리 건물 있잖아요. 그것 팔면 건물 지을 수 있을 텐데 왜 그것만 드리고 말려고 하세요?"

예수를 믿지도 않고 교회 이야기만 하면 알레르기 반응을 보였던 아내가 이제는 저보다 더 헌신적입니다.

그래서 저는 광영에 있는 건물을 내놓았습니다. 그런데 잘 나가

왕지교회에서 특송하는 필자 부부

지 않았습니다. 사람들이 와서 보기만 하고 거래는 이루어지지 않고 있는 상태였습니다.

그래서 교회에는 건축을 하자고 이야기를 했지만 말하기도 힘들었습니다. 그러나 우리가 몸으로 함께 조금씩 짐을 나누면 이 일을 은혜 안에서 잘 할 수 있을 것이라고 이야기하고 도움을 요청했습니다. 그래서 어떤 분은 공사기간동안 밥을 지어 주시고 어떤 분은 시간 날 때마다 오셔서 벽돌을 날라 주셨습니다.

하나님은 언제나 힘든 만큼 은혜를 주시는 것 같습니다. 그래서 지금도 생각합니다. 힘든 일이 있으면 하나님께서 이것을 통해서 또 은혜를 주시고자 하시는구나 하고 말이지요.

공사할 때 철근 올릴 일이 걱정되었는데 마침 철강과 관련 있는 분을 전도할 수 있게 해주셔서 정말 놀랍게도 H빔을 아주 싸게 살 수 있었고 그 작업도 교회 터에서 할 수 있게 해주었습니다.

그러나 여전히 광영에 있는 건물은 안 팔리고 있었습니다. 건물은 올라가고 돈은 계속 들어가야 되는데 참 큰일이었습니다. 그러던 중 아침에 기도를 하는데 '박관수'라고 잘 아는 치과의사가 생각났습니다. 그래서 하나님의 뜻이 있는 줄 알고 기대하면서 전화를 했습니다.

"광영에 내 건물이 좋은 게 하나 있는데 그걸 팔려고 합니다. 혹시 주변에 누구 치과 할 분 있으면 그 건물이 아주 적합할 것 같아서 그러는데 소개 좀 해주세요."

저는 바로 그 분이 소개해 줄 것으로 기대하고 있었습니다.

그런데 그냥 "알았어요."하고 끊어 버리는 것입니다.

저는 그 분이 별로 중요하게 생각하는 것 같지 않아서 좀 실망했습니다. 그래서 제 전화번호도 안 가르쳐 주었습니다. 기대가 무너져 버렸으니까요.

그런데 그 분이 밤에 집으로 전화를 했습니다. 홍 치과 원장을 아는데 그 분이 제 건물을 사고 싶어 한다고 하는 것입니다. 그래서 그날 저녁에 그 분을 만나 건물을 팔게 되었습니다. 언제나 그랬듯이 하나님의 은혜였습니다.

그래서 왕지감리교회를 아름답게 짓게 되었습니다.

참으로 많은 분들이 또 그 건축에 함께 하셨습니다. 기도와 말씀으로 항상 인자하신 김용태 목사님과 별명이 맥가이버라고 하는 송학수 권사님, 그 분은 기도의 용사이기도 했습니다. 용접하는 사람을 구할 수 없었는데 밤새 고생하며 용접을 해주셨습니다.

김명순 권사님은 쌀을 20가마 내놓으셨고, 이른 아침부터 늦은 시간까지 음식을 장만해준 양영자 권사님과 여선교회 성도님들. 주방기구를 모두 부담하신 조춘희 권사님, 불편한 몸에도 재봉틀을 직접 교회에 가져와서 휘장과 커튼을 한 달 내내 만든 차원숙 권사님 또 자기 집에 있는 좋은 나무란 나무를 다 뽑아 온 김창중 장로님 부부도 계십니다. 또 제가 처음 은혜 받은 교회인 광영교회의 한 집사님은 나무를 보내주셔서 아름다운 정원을 꾸밀 수 있었습니다.

그렇습니다. 하나님으로 인한 꿈을 버리지 않고 있으니까 여기저기서 도움의 손길을 인도하셔서 합력하여 끝내 아름답게 완성할 수 있도록 해 주셨습니다. 어릴 때부터 죽마 고우인 박정규 부행장(우리은행), 김재현 집사님, 김명규 집사님은 에어콘을 각각 한대씩 기증해 주시기도 했습니다.

봉헌식 하는 날 봉헌 예배를 드리려고 하는데 형이 "자네는 돈이 생기면 돈 벌 일은 생각 안하고 돈만 생기면 교회만 짓느냐"고 했습니다. 다른 사람은 모르겠는데 가족까지 그럴 때는 정말 힘이 빠졌습니다. 핍박 아닌 핍박이었던 것입니다. 사실 신앙이 깊어 질수록 가족과 일부 교인들의 방해가 더욱 심해졌습니다. 저는 그 때마다 창세기 말씀을 보면서 위로 받곤 했습니다.

"당신들은 나를 해하려 하였으나 하나님은 그것을 선으로 바꾸사 오늘과 같이 만민의 생명을 구원하게 하시려 하셨나니" (창세기 50:20)

꿈을 이루어 가는 왕지감리교회 앞에서

그래도 왕지감리교회를 짓고 나서 걱정이 되어 잠이 오지 않았습니다. 큰형이 또 괜한 일을 했다고 할 것 같아서 말입니다. 그런데 입당예배에 큰형이 왔습니다. 그 날 예배를 진행하시던 목사님이 제 속은 모르고 제 큰 형에게 한 번 단상에 올라와서 인사를 하라고 하시는 겁니다. 저는 얼마나 불안했는지 모릅니다.

그렇게 해서 큰 형은 어정쩡하게 단상에 올라갔습니다. 한 번 좌중을 둘러보고 난 후에 눈물이 맺혔습니다.

"저는 아무 일도 안 했습니다. 좋은 일을 한 것도 없습니다. 저는 저기 앉아 있는 제 동생 반봉혁 권사를 정말 사랑하고 존경합니다."

그런 말을 하는 거예요. 저는 그 말을 듣고 정말 하나님께 감사드렸습니다. 우리 형의 입을 통해 저를 위로해 주시는 것 같았어요. 형이 그런 말을 할 줄은 전혀 몰랐습니다. 형의 위로와 격려는 그 날 주신 하나님의 최고의 선물이었습니다.

모세로 선지자로 7

하나님은 모든 사람이 구원을 받으며 진리를 아는 데 이르기를 원하시느라
(디모데전서 2:4)

엄마 정말 하나님 믿어요?

어머니는 당뇨로 인해 여러 가지 합병증이 겹치면서 건강이 많이 안 좋아지셨습니다. 그런데 제가 기도해주면 어머니께서 마음에 위로를 받고 통증이 사라진다고 하셨습니다. 88년 음력 3월 12일이었습니다. 우리나라의 큰 종합병원은 다 순례를 하고 나서도 차도가 없어서 결국 다시 돌아왔습니다. 순천에는 혈액 투석하는 병원이 없어서 여수에 있는 전남병원에 입원해서 치료 받고 투석도 하셨습니다.

저는 "하나님이 어머니를 불러 가실 때 꼭 제가 곁에 있게 해주세요."라고 간절히 기도했습니다. 제가 광영에 주로 있어 임종을 못 지킬까 두려워서 그랬던 것 같습니다.

어머니가 입원하셨으니 저희 형제들은 돌아가면서 병원을 지키게 되었습니다. 작은 형수와 제가 한 조가 되고 큰 형과 제 아내가

한 조가 되었습니다. 한 집에 두 사람이 다 자리를 비우면 약국을 운영할 수 없기 때문입니다. 하루는 제가 당번이 되어 작은 형수와 어머니를 봐드리고 있었습니다. 그리고 큰 형과 제 아내가 다음 날 아침에 교대를 해주러 왔습니다. 저는 밤샘을 했습니다. 그래서 아침이지만 잠을 좀 자려고 누웠는데 잠이 오질 않는 겁니다. 그래서 기도했습니다. "하나님, 제가 오늘 일도 해야 되고 밤에 또 병원에 가서 교대해야 되는데 잠을 좀 자게 해주세요." 그랬는데 하나님께서 주시는 마음은 "그래, 평안히 자거라."가 아니고 "급하게 병원에 가라."라는 것이었어요. 놀라서 병원에 전화를 해 봤더니 큰 형은 아무 일도 없다고 했습니다. 그렇지만 불안한 마음이 떠나질 않았습니다. 저는 한숨도 못잔 채 다시 여수의 병원으로 향하고 있었습니다.

　저는 병원에 도착하자마자 병실로 달려가서 많은 사람이 있는데서 큰 소리로 "엄마, 엄마 정말 하나님 믿어요?" 하고 물어 봤습니다. 그랬더니 어머니께서 크게 고개를 끄덕이는 것입니다. 저는 너무 기뻤습니다.

　"엄마, 엄마가 생각하는 것 이상으로 우리 4남매가 어머니 사랑하면서 훌륭한 형제가 될 거니까 걱정하지 마세요." 또 "어머니 힘내세요, 좋아질 거예요."하고 말했습니다. 저도 모르게 그런 말들이 튀어나왔습니다.

　어머니는 투석을 마치고 병실로 돌아가려고 엘리베이터를 탔는데 갑자기 호흡이 멈춰버렸습니다. 저는 놀라서 어머니의 가슴에 손을 대고 인공호흡을 시작했습니다. 그러나 소용없었습니다. 우리는 얼른 응급실로 달려가서 응급처치를 실시했습니다. 에피네프린이라고 하는 약제를 심장에 직접 주사하고 심장마사지를 계속 했습니다. 그렇게 한 덕에 호흡은 돌아왔습니다. 그러나 의사는 이미 뇌사상태라고 말했습니다. 숨은 쉬나 호흡기를 떼면 돌아가신다는 말이었습니다. 집에 가면 운명하실 거라고 덧붙였습니다.

저는 마지막 기도를 했습니다.

"하나님, 우리 사랑하는 어머니가 일생동안 아버지도 없이 홀로 4남매를 기르면서 고생했고 헌신했습니다. 환갑도 못 지냈는데 우리 어머니를 불쌍히 여겨주십시오. 이 불쌍한 영혼을 당신 손에 보내드립니다. 천국으로 인도해 주십시오." 그 곳에 있던 모든 사람들이 다 울었습니다.

어머니는 인공호흡기를 댄 채 집으로 왔습니다. 그날 엄청난 비가 왔습니다.

집에 도착해서 형님들과 저는 협의를 거쳐 호흡기를 제거했습니다. 그러나 어머니의 숨이 바로 끊어지지 않았습니다.

서울에 있던 여동생에게 연락을 했는데 비가 너무 많이 와 비행기가 뜰 수 없다고 했습니다. 그만큼 비가 많이 왔습니다. 동생은 고속버스 편으로 겨우 새벽 한 시에야 집에 도착했습니다. 어머니는 동생이 도착한 것을 보려고 한 듯 그 때 운명하셨습니다.

슬픔이 가슴 가득 밀려왔습니다. 그동안 어머니와의 일들이 눈앞에서 계속 지나가는 것 같았습니다. 저는 어머니와 잠시라도 같이 있고 싶어서 병풍 뒤로 가보았습니다. 그런데 그 곳에는 큰형이 이미 어머니의 곁에 있었습니다. 형도 저와 같은 생각이었나 봅니다. 형은 어느새 잠이 들어있었습니다. 어머니를 추억하다가 울면서 잠이 든 것 같았습니다.

어머니의 장례는 외국에서도 올 분이 많아서 5일장으로 치르게 되었습니다. 장례가 다 끝나고 이제 어머니를 묻는 일이 남았었는데 제 꿈대로 묻게 되었습니다.

어려서부터 저는 어머니를 우리 집 마당에 묻는 꿈을 가지고 있었습니다. 그런데 그대로 어머니께서 물려주신 우리 땅 승주목장에서 가장 좋고 양지 바른 곳에 묻을 수 있었습니다. 그렇게 어머니는 가셨습니다.

저는 부모에게 하는 가장 큰 효도는 전도하는 것이라고 생각합니다.

이 세상에서 편히 살다가 죽은 후에 지옥에 가면 무슨 소용이 있겠습니까? 저는 평생 고생만 하신 어머니였기에 죽어서는 천국에서 편안하고 건강하게 살기를 원해서 더 간절히 전도했는지도 모르겠습니다. 그러나 분명한 것은 자기 부모님을 지옥에 보내는 것만큼 큰 불효는 없다는 사실입니다. 지금은 편하든 고생하든 유한한 세상일뿐입니다. 이 유한한 세상이 끝나고 죽으면 영원한 세상이 오는데 그 때 지옥에서 영원히 고생을 하게 내버려둔다면 어디 자식으로서 도리를 하는 것이겠습니까? 무슨 일이 있어도 꼭 부모님께 전도하여야 하겠구나 하는 깨달음을 그 때 가지게 되었습니다.

한 번은 순천 곳곳에 두부를 가지고 전도하는 중에 조례동에 있는 통닭집을 찾아가게 되었습니다. 술을 함께 팔고 있던 그 통닭집에 복음을 전하려는데 그 주인이 강퍅하게 말했습니다.

"우리 아버지도 어머니도 교회 집사이고 우리 식구 모두가 교회 다니고 있지만 나는 믿고 싶은 마음이 조금도 없소."

문전박대를 하자 5분만 시간을 주면 그냥 내가 할 이야기를 하고 가겠다고 하고 속으로 기도했습니다. '하나님, 이 시간 성령의 도움이 몹시 필요합니다. 꼭 성령의 권능으로 역사해 주옵소서.'

그리고 복음을 전하기 시작했습니다. 그런데 이 분도 제 말에 흥

낙도 선교를 하고 있는 정영택 목사님과
호프집 주인 김좌룡 집사

미를 느끼면서 이렇게 말하는 것 아니겠습니까?

"어, 이 양반 재미있네. 어떤 목사님도 나를 홀리지 못했는데…."

그러더니 안주 만들고 있던 불교신자 부인까지 불러 함께 듣게 했습니다.

말씀이 끝날 즈음 이 부부는 눈물을 흘리고 있었습니다. 남편은 어떻게 하면 구원을 받을 수 있느냐고 물었고 마음으로 믿고 입으로 시인하면 된다고 하면서 함께 손을 잡고 영접기도를 드리게 되었습니다. 부부는 그렇게 예수님을 영접하였습니다.

그러나 세상의 습관들에 대한 미련이 남아있는지 이렇게 말했습니다.

"장로님, 교회는 일주일에 딱 한 번만 나갈 테니까 더 나오라고 하지 마세요. 저녁예배나 성경공부나 심방 같은 것은 절대로 말씀하지 마세요. 그리고 그냥 술도 먹고 담배도 피울 테니까 그것으로 뭐라고 하지 마세요."

그래서 저는 대답하지 않고 다만 하나님이 알아서 하실 것이라고만 이야기했습니다.

부부는 곧 교회에 등록하고 출석하기 시작했습니다. 그런데 2개월 만에 그 통닭 가게가 문을 닫고 말았습니다. 그리고 부부간의 갈등이 생겨 별거하기 시작하더니 이혼소송을 제기한 채 헤어지는 날만을 기다리게 되었습니다. 참 가슴이 아팠습니다.

어느 날 아침 새벽예배 차량운행을 끝내고 교회로 와보니 주일예배 한 번만 드리겠다고 했던 그 사람이 엎어져 눈물을 흘리며 기도를 하고 있었습니다. 그 사람은 그렇게 며칠을 기도했습니다. 그리고 저에게 이렇게 부탁했습니다.

"장로님, 사랑하는 아내와 다시 한 번 재결합 할 수 있도록 해주시면 정말 믿음으로 살아가겠습니다."

그래서 부족하지만 하나님을 의지하고 두 사람의 중재를 했고 그들은 다시 만날 수 있게 되었습니다. 일주일에 한 번만 예배드리겠다고 했었는데 저녁예배와 수요 예배 그리고 속회까지 열심히 참석하고 있습니다. 게다가 주일학교 교사로 성가대원으로 봉사도 하고 있습니다.

그 분은 이후에 새로운 사업을 시작했는데 중국유학관련 사업이었습니다. 그 사업으로 재기했고 올해 70명의 조선족과 한족 유학

김좌룡 집사가 전도한 중국인 유학생들

생들을 순천 근교 대학에 입학시키면서 그 중 40명을 장로교회로 보냈고 27명을 포함해 성인 15명을 전도해 모두 82명을 자신이 다니는 교회로 인도하는 전도자가 되었습니다. 해당 지방회에서 전도왕으로 뽑히기까지 했습니다.

영적 1분 대기조

군 생활할 때 5분 대기조라는 것이 있습니다. 유사시 발생할 일에 대비해 5분 만에 출동준비를 끝내는 조직입니다.

저는 교회에는 1분 대기조가 있어야한다고 생각합니다. 왜냐하면 전도는 곧, 바로, 즉시 해야 하기 때문입니다.

16년 전쯤 저는 한 다방을 경영하는 분에게 계속 전도하고 있었습니다. 그분은 다방 종업원으로 들어 와서 17년 동안 일을 하다 마침내 다방 운영까지 하게 된 분이었습니다. 저는 그 분을 볼 때마다 예수 믿고 천국 가야 한다고 전도했습니다.

그러던 어느 날 그분이 저를 보더니 이제 예수님을 믿고 싶은데 어떻게 하면 되겠느냐고 물었고 저는 일단 교회로 데리고 가려고 했습니다. 그날이 금요일이어서 철야 예배가 있었기 때문입니다.

그런데 다음 날이 그분 아버지의 기일이라 고향인 강릉에 다녀와야 되는데 다녀와서 주일 날 예배에 참석하면 어떻겠느냐고 했습니다. 저는 더 붙잡는 것도 실례인 것 같아 그렇게 하기로 약속을 하고 그 분은 그 길로 강릉으로 떠났습니다.

저는 토요일 전도를 마치고 다음 날 교회에 올 그 분을 기대하면서 기쁜 마음으로 잠들었습니다. 그런데 다음 날 그분은 교회에 나오지 않았습니다. 대신 TV 뉴스에 나왔습니다. 화면은 호남고속도로 쌍암고개 부근을 비추고 있었습니다. 트레일러가 한 대 서 있고 그 밑에 앞부분이 완전히 박혀 버린 승용차가 한 대 있었습니다. 뉴스의 기자는 사고당한 사람의 이름과 지역을 말해 주었습니다. 저는 기절할 뻔 했습니다. 바로 그 사람이었던 것입니다. 그리고 더 놀란 것은 사망자에 속해 있다는 것입니다.

기자는 이어서 졸음운전이 원인이라고 했습니다.

그분은 약속대로 주일 아침 출발해서 돌아오고 있었습니다. 그런데 순천 거의 다 와서 쌍암고개에서 교통사고를 당해 즉사해 버린 것입니다.

얼마나 후회를 했는지 모릅니다. 그때 영접하는 기도만 했어도 그 분은 천국에 있을 것이기 때문입니다.

그 이후 저는 영적 1분 대기조라는 생각을 가지고 전도할 때면 즉시 영접하는 기도까지 반드시 하게 되었습니다. 자살 직전이나 죽음을 앞 둔 사람들, 이민 가거나 군에 입대하는 사람들은 특히 그 순간 이후에는 볼 수 없을지 모르기 때문에 꼭 그렇게 했습니다.

정형기 예비역 중령

정형기 씨는 9년 전 육군 중령으로 예편한 분이었습니다. 군 시절 모 부대의 대대장을 지냈고 광양제철에서도 근무한 적이 있는 사람이었습니다. 집은 순천이었고 종교는 불교로 절에 다녔습니다. 그런데 어느 날 그분의 신장에 조그맣게 암이 발생했다는 진단을 받았습니다. 그러나 치료가 안 되면서 점점 전이가 되어 폐까지 번지게 되었고 결국 폐암 말기가 되도록 회복하지 못하게 되었습니다.

그러다 그분이 어떻게 교회를 나가면 병이 낫는다는 말을 들었는지 교회를 나오게 되었습니다. 몇 번인가 그렇게 교회에서 예배를 드리는 모습을 봤는데 언제부턴가 주일에 교회에서 더 이상 볼 수가 없었습니다. 급히 알아보니 몸이 심하게 악화되어 움직이기 어려워졌다는 소식을 들을 수 있었습니다. 간혹 광주에 주사 맞으러 가는 것만이 유일한 외출이었습니다.

마음이 매우 아프고 안타까웠습니다. 많이 전도하려고 했었고 회복되기를 바랐는데 이제는 정말 마지막인 것 같았기 때문입니다.

그렇게 며칠이 지나고 수요예배를 드리게 되었는데 사도행전의 말씀이 마음에서 떠나지 않았습니다.

"베드로가 가로되 은과 금은 내게 없거니와 내게 있는 것을 네게 주노니 곧 나사렛 예수 그리스도의 이름으로 걸으라 하고"
(사도행전 3장 6절)

저는 더 망설일 것 없이 정형기 씨를 찾아갔습니다.
방에 들어서서 찬양하며 기도하며 내 속에 있는 성령님께서 행하실 일에 기대를 가지고 준비했습니다.

"성경에 보면 어떤 앉은뱅이가 성전 입구에 앉아 있었는데 마침 예수님의 제자들에게 발견되어 나사렛 예수의 이름으로 다리가 펴져서 일어난 사건이 나옵니다. 예수님의 제자인 베드로는 자신에게는 아무것도 없지만 나사렛 예수의 이름이라면 능력을 행할 수 있을 것이라고 믿었습니다. 저도 오늘 같은 생각으로 여기에 왔습니다. 정형기 씨의 아프고 답답하고 암울한 심정을 이해합니다. 그래서 하나님께 기도하다가 이 구절이 떠올랐습니다."

"오늘 정형기 씨도 성경에 나온 앉은뱅이처럼 하나님의 은혜로 건강해졌으면 좋겠습니다."

그런 말을 하고 나서 정형기 씨의 회복을 위해서 간절히 기도했습니다.

"그리고 저는 정형기 씨가 예수님을 믿고 영접하기를 바랍니다. 그래서 구원 받기를 바랍니다. 하나님의 놀라운 사랑과 평안을 경험해보기를 바랍니다."

그렇게 기도를 한 후 영접기도도 하였습니다. 그리고 저는 여수에 일이 있어 떠났습니다.

토요일쯤 되어서 전화가 한 통 걸려 와서 무심코 받았는데 첫마디가 "할렐루야!"였습니다.

누군가 싶었는데 바로 정형기 씨였습니다. 그분 신앙이 그런 말을 할 정도가 아니라고 생각하고 있던 터라 생소했습니다. 그런데 목소리가 참으로 밝아서 뭔가 좋은 일이 있나 보다 속으로는 생각을 했지만 차마 물어볼 수는 없었습니다. 결국 정형기 씨는 먼저 입을 열었습니다.

"장로님, 오늘 병원에 갔었어요."

"그래요? 주사 맞으러 가셨어요?"

"아니요, 오늘 광주 가서 검사를 한 번 했어요. 그런데 정말 기적이 일어났어요. 기적이…"

"예? 무슨 일인데요? 빨리 이야기 해봐요."

"제 폐에 오백 원짜리 동전만한 암 덩어리가 네 개 있었잖아요, 장로님."

"그랬죠."

"근데 그게 오늘 보니까 있었던 흔적만 남고 암 덩어리는 없어져 버렸어요. 의사선생님도 이런 일이 있을 수 있냐고 놀라고 그랬어요."

"할렐루야!"

저는 말을 이을 수 없었습니다. 하나님께서 저와 정형기 씨의 기도를 들으신 것입니다. 전도하는 사람들에게 하나님은 놀라운 능력을 보여주신다는 것을 저는 이 일을 통해 분명하게 깨닫게 되었습니다.

세 손가락 어부

황신성 권사님은 제가 갈릴리교회에서 처음 만났습니다. 한 16~17년 전쯤이었습니다. 그 때 김용태 목사님도 함께 계셨습니

세 손가락 어부 황신성 권사의 배

다. 황 권사님이 그때는 집사시절이었습니다. 황 권사님은 아버지가 운영하던 방앗간 기계에 손이 빨려 들어가 왼손의 모든 신경이 마비되어 버렸습니다. 그리고 오른 쪽 손가락도 엄지, 검지, 중지만 남고 절단되었습니다. 손가락을 세 개만 쓸 수 있을 뿐이었습니다.

그런데도 0.5톤 목선(경운기 엔진 붙여서 만든 조그만 배 : 편집자 주)을 가지고 다니면서 어업을 했습니다. 황 권사님이 무척 가난했었는데 그분이 다니는 교회도 교인이 15~6명밖에 없고 남자는 권사님이 전부였습니다. 그분은 형편이 좋지 못한 가운데에서도 목사님과 교인들에게 참 잘했습니다.

저는 낚시를 좋아해서 그 분을 알게 되었는데 저에게도 참 잘 대해주셨습니다.

여수시 돌산 평사리 계동 갈릴리교회 바로 옆에 살면서 하나뿐인 손으로도 못 만지는 기계가 없고 별명이 맥가이버일 정도로 탁월한 분이었습니다. 그리고 힘도 얼마나 센지 한 손으로도 80Kg짜리 쌀 두 가마니를 동시에 들어 올려버릴 정도의 괴력의 사람이었습니다.

그분은 항상 없으면서도 저에게 홍합도 따서 주고 잡은 물고기도 다 줘버리고 회도 맛있게 떠주고 그렇게 베풀어 주셨습니다.

그 정성이 고마워서 15년 전쯤에 제가 그분에게 이렇게 말했습니다.

"권사님, 절 따라오세요."

그리고 동네에 계신 한 분과 김용태 목사님과 함께 완도항구에 갔습니다. 배들이 많이 있는 곳으로 가서 배를 한 척 고르라고 했더니 황 권사님은 놀라서 멍하니 서 있는 것이었습니다. 그래서 제가 그 자리에서 1천 5백만 원 하는 중고 어선을 한척 사버렸습니다. 그리고 바로 황 권사님에게 주었습니다. 그 배는 5.4톤짜리였습니다. 전에 몰던 배에 비하면 어마어마하게 큰 배인 셈입니다. 여수 계동에서는 가장 큰 배였을 정도입니다. 그 배를 그 자리에서 인수해 완도에서 여수까지 배를 타고 왔습니다.

휴대폰으로 아내에게 "배 갖고 가네"하고 전화를 했던 기억이 납니다. 사람들은 박수를 치고 난리가 났습니다. 권사님도 너무 좋아하셨습니다. 그렇게 자신 있고 당당한 모습을 보니 제가 오히려 더 뿌듯했습니다.

'어머니가 사람들을 도와 줄 때 이런 기분이었겠구나.' 하고 생각했습니다.

정식 배 인수식을 계동 앞바다에서 했습니다. 홍 목사님이 예배를 인도하셨습니다. 그날 권사님은 펑펑 울면서 "장로님, 제 집이 5백만 원도 안 됩니다. 그런데 장로님께서 그 집보다 비싼 배를 선물로 주셨습니다. 제가 이 배로 잡은 고기에 대해서는 십일조가 아니라 십의 오조를 반드시 하겠습니다." 그리고는 진짜로 십의 오조를 하였습니다. 한 해에 많이 할 때는 헌금을 1천만 원을 할 때도 있었습니다.

그분은 아침마다 이강망을 치고 하루 두 번씩 물 보러 가야 되는데 그때 그 배를 타고 다녔습니다. 그 배의 이름을 '갈릴리호'라고 지었습니다. '갈릴리호'에서는 항상 찬송가가 나오고 십자가도 붙어 있습니다.

그 후 지금부터 7년 전 황 권사님이 농약을 갖고 남의 집일을 도와주다가 뇌출혈로 쓰러졌습니다. 즉시 여수 성심병원에 갔지만 죽을지 모른다고 했습니다.

저는 그분을 익산 원광병원에 입원시키고 수술비와 치료비를 부담하면서 회복되기를 기도했습니다. 수술이 끝나고 순천에 동신한방병원이라고 있는데 그 쪽으로 옮겨서 치료를 받게 했습니다.

다행히 그분은 회복했습니다. 그리고 원래 간염으로 고생을 많이 하고 있었습니다. 약국을 하는 저는 많을 때는 50만 원 정도의 약을 계속 공급해 드렸습니다.

저는 예수님께서 우리의 죄와 허물을 위해 아낌없이 모든 것을 주셨던 것에 깊은 감명을 받아서 어떻게 하면 좋을까 고민하다가 부족하지만 저도 제 몸을 누군가를 위해서 사용할 수 있으면 좋겠다는 생각이 들어 장기 기증할 것을 서약했습니다. 또 가지고 있는 재산도 이리 저리 좋은 데 쓸 수 있도록 조치를 해 놓아서 주님앞에 갈 때 떳떳하게 빈손으로 갈 준비를 해 놓았습니다.

제 몸 뿐만이 아니고 하나님의 사람으로서 저는 구제를 많이 하려고 노력합니다. 그것이 하나님의 뜻대로 사는 것인 것 같습니다. 황 권사님 뿐 아니라 많은 사람과 교회에 건축 헌금을 비롯해 차량, 전자제품 등을 기증하며 섬기려고 노력하였습니다. 모두 하나님께서 주신 감동으로 된 일이었습니다.

여행사를 운영하는 윤종운 집사라고 계신데 이분도 돕는 것을 좋아하시는 분이었습니다. 집사인 만큼 교회를 많이 도왔는데 섬진강 교회 정 목사님도 윤 집사님 덕분에 꿈에도 그리던 성지순례를 무료로 다녀오게 되었습니다. 돕는 것은 참으로 중요한 일이고 꼭 해야할 것입니다.

특히 전도할 때는 구제가 필수적인 요소가 될 수 있습니다. 인색함을 보이지 말고 하나님께서 주신 사랑을 푹푹 떠서 주면 받는 사람의 마음은 감동을 받을 것이고 주는 사람의 마음은 사랑으로 가득 찰 것입니다. 어려운 사람을 도왔을 때 그것을 보고 예수님께 했다고 한 성경이 있습니다. 많으면 많은 대로 적으면 적은 대로 있는 것을 주변에 나누어 주는 것이 하나님을 섬기는 사람들의 옳은 삶일 것입니다.

> "내가 주릴 때에 너희가 먹을 것을 주었고 목마를 때에 마시게 하였고 나그네 되었을 때에 영접하였고 벗었을 때에 옷을 입혔고 병들었을 때에 돌아보았고 옥에 갇혔을 때에 와서 보았느니라 이에 의인들이 대답하여 가로되 주여 우리가 어느 때에 주의 주리신 것을 보고 공궤하였으며 목마르신 것을 보고 마시게 하였나이까 어느 때에 나그네 되신 것을 보고 영접하였으며 벗으신 것을 보고 옷 입혔나이까 어느 때에 병드신 것이나 옥에 갇히신 것을 보고 가서 뵈었나이까 하리니 임금이 대답하여 가라사대 내가 진실로 너희에게 이르노니 너희가 여기 내 형제 중에 지극히 작은 자 하나에게 한 것이 곧 내게 한 것이니라 하시고" (마태복음 25:35 ~ 40)

찬불가대원을 전도하다

광양시 광영동에 주택은행이 들어왔습니다. 광양제철로 인해서 사람들의 유입이 많아지고 아파트 건설이 많아지면서 은행도 함께 들어오게 되었습니다. 주택은행의 지점장은 감리교인인 서채석 권사님이었습니다. 그분은 덕장이면서 지장이었습니다. 한번은 은행 안에서 돈이 없어진 사건이 있었는데 지점장 본인을 비롯한 윗사람들이 책임을 지고 분실된 금액을 채워 넣고 사고 당사자에게는 이번 일로 얼마나 많이 불안했느냐고 위로를 하고 넘어간 적이 있었습니다. 그 일로 아랫사람으로부터 많은 신뢰를 얻고 계신 분이었습니다.

은행 직원 중에 선종길 대리라고 하는 사람이 있었는데 아주 똑

맨 왼쪽이 당시 주택 은행 지점장이었던 서채석 권사
두 번째가 십일조의 교훈을 준 어영기 집사 그리고 필자의 가족들

똑한 분이었습니다. 종교는 불교였고 찬불가 대원이었습니다. 그만
큼 교회 다니는 사람들과 종교이야기를 한다는 것은 충돌을 의미했
습니다. 그래도 저는 계속 은행에 갈 때마다 직원들에게 예수님 이
야기를 했고 전도를 했습니다. 아마 선 대리는 많이 싫어했을 것입
니다.

어느 날은 은행에 나오지 않아 다른 직원들에게 선 대리의 근황
을 물어봤더니 허리가 몹시 아파서 쉰다는 것이었습니다. 전도는
아플 때 효과가 크다는 개인적인 통계를 갖고 있던 터라 바로 서 지
점장을 찾아가서 선 대리 이야기를 하게 되었습니다.

"선 대리가 허리 디스크가 있어요. 그런데 증세가 심해져서 의자
에 앉아 있지도 못할 지경이 되었지요. 종합병원에도 가보고 했지
만 의사들도 수술해도 재발 가능성이 크고 후유증도 심할 것 같으

니까 그냥 다른 치료법을 찾아보는 것이 좋겠다고 그러더군요."

그 시절의 의료기술이 지금에 비하면 현저히 떨어졌었나 봅니다.

"선 대리는 지금 어떻습니까?"

"뭐 아무것도 못하고 있지요. 잘 누워 있지도 못하나 봐요."

"그래요? 큰일이네요."

"장로님, 큰일인 것이 또 하나 있습니다."

"예? 뭔데요?"

"제가 선 대리 병문안 차 찾아가서 장로님 이야기를 했어요."

"뭐라고 그러셨는데요?"

"장로님이 안수하면 병이 확 떠나버릴 거라고 했지요."

저는 깜짝 놀랐습니다. 저는 신유기도 해본적도 없고 감기조차도 기도해서 치료해 본 경험이 없는 사람이었습니다.

"지점장님, 그런 말씀을 하시면 앞으로 제가 선 대리를 어떻게 보겠습니까?"

그냥 제 문제가 아니라고 생각을 하고 잊고 지내기로 했습니다.

그런데 새벽기도하고 있던 중에 갑자기 이런 음성이 들리는 듯 것 같았습니다.

"치료를 네가 하는 것이냐, 그것은 내가 하는 것이다."라고 말입니다.

'그래, 이것은 옳은 말이다. 나랑 상관없이 하나님께서 고치시는 것이지.' 이런 생각과 함께 한번 기도를 해봐야겠다고 결심하게 되었습니다. 지점장님을 찾아갔습니다.

"지점장님, 선 대리를 위해서 한번 기도해 보려고 합니다. 함께 좀 가주십시오."

"그래요, 제가 기다렸습니다. 한번 가보지요."

선 대리의 집에 들어서는 순간 절인지 집인지 분간이 안 되었습니다.

불교의 골수신자 인만큼 집안에는 각종 불교서적들과 장식물들로 가득 차 있었습니다. 시원찮은 스님들 뺨칠 정도는 될 것 같았습니다.

선 대리는 방에 누워 있었습니다. 방에 들어가 저는 그의 허리를 만져주기 시작했습니다. 그때 저는 허리를 좀 만지면 좋아지는 마사지 기술을 배운 적이 있었습니다. 허리를 만져주는 내내 기도했습니다. 다행히 증세가 점점 호전되어 갔습니다. 하나님의 도우심이 몸으로 느껴지는 시간들이었습니다. 기도를 시작한지 1주일째 되는 날 선 대리에게 말했습니다.

"선 대리님, 저는 예수 믿는 사람입니다. 앞으로 선 대리님의 건강이 회복될 것인데 만약 예수님을 믿지 않은 상태에서 회복이 되어서 다른 곳에 건강을 사용하면 옳지 않은 것 같습니다. 예수님이 회복시켜주셨으면 예수님을 위해서 건강을 쓰는 것이 맞을 것 같습니다. 그래서 먼저 교회에 나가 예수님을 영접하면 좋겠습니다."

선 대리는 다음 주에 바로 교회에 나왔습니다.

아마 저와 하나님께 마음이 열려 있었던 것 같습니다.

"선 대리님, 이제 더 간절히 기도해 봅시다. 꼭 회복이 될 겁니다."

그리고 며칠이 지났습니다. 그런데 꿈에 이상한 장면이 나타났습니다. 유리병 안에 한복 입은 사람과 갓을 쓴 할아버지가 있고 신랑신부가 있는 모습이었습니다. 저는 이것이 어떤 의미가 있겠다는 생각은 못하고 기분만 좀 안 좋았습니다. 그래서 선 대리를 만났을 때 이렇게 말했습니다.

"선 대리님, 오늘 꿈에 한복 입은 사람하고 갓을 쓴 할아버지가 나왔는데 기분이 좀 찜찜하네요."

그런데 선 대리는 그 부인과 깜짝 놀라는 것이었습니다. 왜 그렇게 놀라느냐고 하니까 부처의 제자 중에 사리자라고 하는 사람이 있는데 그 사람이 갓을 썼다고 하면서 자기가 결혼할 때 사리자상을 선물로 받았다는 것입니다. 사실 선 대리가 교회에 나가기 시작하면서 불교와 관련된 것은 집에서 모조리 없앴습니다. 그런데 그 사리자상만큼은 결혼선물이기도 하고 자기를 지켜주는 수호신 같은 느낌도 있어서 계속 침대 밑에 두고 있었다는 것이었습니다. 그런데 제가 그 갓 쓴 사리자 이야기를 하니까 깜짝 놀랐던 것입니다.

이제 그것마저 버렸습니다.

그렇게 기도하기를 20여일이 지났습니다.

21일째 되던 날 하나님께서 "이제는 그것으로 더 기도하지 말라."는 음성을 들려주셨습니다. 선 대리에게 가서 "예수이름으로 이 병이 나으신 것을 믿으시기 바랍니다."라고 말했고 그는 "아멘"으로 대답했습니다.

그런데 그냥 그렇게 조심하면서 다니면 좋을 텐데 그 분 성격상 그것을 확인해 보고 싶어서 근처에 헬스클럽을 겸하고 있는 체육관이 있었는데 거기에 가서 20Kg짜리 역기를 들어버렸습니다. 건강한 사람이 들기에도 좀 무거운 감이 있는 20Kg짜리 역기인데 허리디스크 환자가 번쩍 들어버렸으니 보는 사람들은 정말 가슴이 조마조마했습니다. 그런데 놀랍게도 아무 일도 없었습니다. 괜찮았습니다. 선 대리는 완치되었던 것입니다. 그 이후로 한 번도 재발하지 않았다고 합니다.

선 대리는 후에 직장에서는 신우회장이 되고 교회에서는 안수집사가 되었다는 소식을 들었습니다. 그리고 모든 사람들에게 친절해진 것은 물론이었습니다.

마침 서 지점장이 다른 곳으로 가고 다른 분이 새로 지점장 자리로 왔는데 선 대리가 그 분을 전도해서 교회에 나가게 되었습니다. 그리고 23~4명 정도 되는 직원 중에 17~8명이 교회를 나가게 되었습니다. 하나님께서 한 사람을 변화시켜서 큰 결실을 맺게 하신 증거입니다.

광양 한량

이런 말이 있습니다.

여수에서는 돈 자랑을 하지 말고 벌교에서는 주먹 자랑 하지 말고 순천에서는 인물 자랑을 하지 말라.

그런데 하나 더 말하기도 합니다. 광양에서는 욕자랑 하지 말라.

하나님 앞에 회개하고 봉사하다 간 김재국 집사(가운데)

그 말의 시초라고해도 될 만한 사람을 알고 있었습니다. 이름은 김재국, 별명은 욕 제조공장이었고 주먹을 잘 써서 널리 알려진 한량이면서 큰 사업을 여러 개 하고 있는 기업가이기도 했습니다.

보면 얼굴이 아주 사납게 생겨서 말을 걸기도 어려울 정도였습니다.

저는 그를 유심천 목욕탕에서 자주 만났습니다. 같이 사업하는 사람으로서 통하는 데도 있고 전도했으면 좋겠다 싶은 생각이 있어서 만나고 있었습니다.

그는 택시회사와 여객선이나 외항선이 항구에 정박할 때 생필품을 공급하는 회사를 운영하고 있었고 당시 동광양지역 초대 로터리 클럽 회장을 지냈던 막강한 재력과 사회적 지위를 겸비한 사람이었습니다.

그러다가 어떻게 부도가 나서 엄청난 빚을 지고 망하게 되었습니다. 그 후 딸을 위해 사두었던 임대아파트에 들어가서 살게 되었습니다. 그러나 그분의 재력은 실로 엄청났습니다. 수백억이 부도났는데 그것을 얼마 되지 않아 다 처리할 정도였습니다.

그리고 광양에서 당시 최고의 차였던 그랜저를 최초로 산 사람이었습니다. 술과 잡기를 좋아 했던 사람입니다. 그랬던 그는 사업이 망하자 따로 갈 데가 없었던지 사우나에 자주 갔습니다. 거기서 저를 자주 만났는데 저는 볼 때마다 예수님 이야기를 했습니다. 예수 믿어야 천국갈 수 있다 그렇지 않으면 지옥의 뜨거운 불이 있을 뿐이라고 수없이 이야기 했습니다.

그래도 그는 아내가 불교신자이기 때문에 나올 수 없다고 하면서 끄떡하지 않았습니다.

그러다가 한 달 뒤 그는 자기 발로 교회를 찾아왔습니다. 그것도 불교 신자인 부인과 함께 말입니다. 그래서 제가 물었습니다.

"교회 안 나온다더니 나왔네요?"

"자네가 하도 오라고 해서 왔네."

"그래요? 어쨌든 잘 오셨소. 이제 교회도 나왔으니까 신앙생활 잘하고 옛날로 돌아가지 마시오."

"어떻게 하면 신앙생활을 잘 할 수 있는가?"

"무조건 하루에 성경을 석장 읽고 밥 먹을 때 꼭 기도하고 새벽기도를 나오면 신앙생활을 잘 할 수 있게 될 겁니다."

그가 정말 새벽기도를 나오기 시작했습니다. 그리고 교회청소를 앞장서서 하고 신나게 신앙생활을 했습니다. 그는 저 때문에 셔츠를 두 번이나 태운 적이 있습니다. 담배를 피다가 저를 발견하고는 얼른 숨기려다가 셔츠에 불똥이 튀어 버렸던 것입니다. 하나님을 믿기 시작하면서 그의 인생은 많이 바뀌었습니다. 아직 술을 먹고 담배를 피우고 욕을 하지만 없는 돈에서도 십일조를 내고 감사헌금도 하고 교인들에게 이런 저런 도움도 많이 주고 정말 하나님을 섬기고 남을 존중하는 사람이 되어 가고 있었습니다.

그러다가 어느 날 자기가 봉사를 하고 싶다면서 뭐 적당한 일이 없느냐고 했습니다. 사실 그 사람이 조금 바뀌기는 했어도 아직 아이들을 가르치거나 그런 일을 할 정도는 아니었습니다. 그래서 저는 궁리 끝에 교회에서 생수를 떠다 먹고 있었는데 그 일을 시키기로 했습니다.

구례 산동이라는 곳에 가면 온천이 있는데 온천 앞에 생수가 나오고 있었습니다. 그 생수를 매일 떠 와서 교회 사람들이 먹을 수 있도록 해주면 되는 일이었습니다.

그는 신이 나서 물을 뜨러 다녔습니다.

그런데 어느 날부턴가 물을 뜨러 가지 않는 것이었습니다.

"왜 요즘은 물 뜨러 안가요?"

"그렇게 됐네."

사정을 알고 봤더니 그 생수 뜨는 데는 언제나 사람들이 줄을 길게 서 있고 물이 나오는 양도 매우 적어서 오랫동안 기다린 후에야 물을 뜰 수 있었습니다. 그런데 김 집사가 그런 질서를 무시하고 계속 아무 때나 물을 뜨자 사람들이 관리소에 항의를 했고 관리소 직원은 김 집사의 행동을 제재하려고 했는데 김 집사의 전력상 그런 것을 그냥 두지 못하는 지라 불미스러운 사고가 있었나 봅니다. 그래서 그 생수 뜨는 곳을 김 집사 때문에 결국 폐쇄해 버렸던 것입니다.

그래도 저는 그가 교회에 나오고 청소도 하고 여러 가지 교회 일들을 하는 모습을 보면서 참 좋았습니다. 물론 시간은 걸리겠지만 점점 하나님의 사람으로 거듭나는 모습을 기대하고 있었기 때문입니다.

그를 아는 사람이라면 어느 누구도 김재국 이라는 사람이 교회에 나오리라고 상상도 못할 것입니다. 그런데 그가 교회에 나와서 이런 저런 일들을 하고 있으면 순한 양이 된 것 같았습니다. 그렇게 봉사하다가 그는 갑자기 심장마비가 왔고 하나님 곁으로 갔습니다. 어쩌면 십자가 우편의 강도 같은 사람이었는데 그가 예수를 믿고 죽어서 천국에 간다고 생각을 하니 정말 감개무량하고 감사한 일이었습니다.

그의 아내 전미란 집사도 남편이 죽었지만 계속 교회에서 성가대와 주일학교교사로 봉사하면서 열심히 신앙생활을 하고 있습니다. 그리고 태인산업이라는 사업체를 다시 일으켜 하나님께 영광을 돌리고 있습니다. 왕년에 절에서 기왓장 꽤나 사고 시주도 많이 했던 전 집사가 이제는 하나님을 찬양하며 봉사하는 모습은 천사와 다름없습니다.

전과 29범의 눈물어린 선교헌금

승주군 서면에 갈 때마다 항상 전도하는 모든 사람들에게 저주와 욕설로 공포 분위기를 조성하는 사람이 있었습니다.

바로 전과 29범의 박 모 씨였습니다. 그 사람은 언제나 복음 전파의 걸림돌이었습니다.

같은 동네 사람들조차 그 사람만 보면 지레 겁을 먹고 피해 다닐 지경이었습니다.

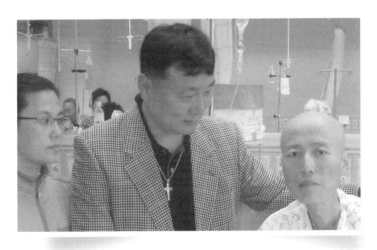

암투병중인 황정식 목사님

심지어 술에 만취되어 전도하는 저를 차로 치려고까지 했습니다.

한 번은 동네 아는 분이 몸이 아파서 기도하고 약을 전해 주고 나오는데 정오 무렵 동네 사람들이 모여 있는 가운데 만취한 채 차를 몰고 오면서 저에게 소리를 질러댔습니다.

"야! 이 새끼야! 네가 뭔데 우리 동네 와서 좋은 일 하고 다니냐?" 하며 입에 담지 못할 욕을 하면서 시비를 걸어 왔습니다.

'하나님, 이래도 이 원수 같은 놈을 일곱 번씩 일흔 번이라도 용서해야 됩니까?'

그냥 얼굴에다가 주먹을 날려 버리고 싶은 심정이었습니다. 그저 분한 마음만 가득했습니다.

그러나 성령님께서는 이렇게 말하도록 했습니다.

"선생님 이러면 안됩니다. 계속 이렇게 살면 안돼요. 사람은 모두 죽게 마련입니다. 사람이 어떻게 생각을 하든 그것은 하나님의 법칙입니다. 알겠어요? 지옥이 얼마나 무서운 곳인데 이렇게 살아가는 겁니까? 도대체. 나도 선생님이 이러면 화가 나기도 하고 솔직히 전도를 포기하고 싶은 마음도 있습니다. 그러나 내가 얼굴도 알고 말도 몇 번 해본 사람이 죽어서 지옥에 간다고 생각을 하면 자다가도 벌떡 일어나게 됩니다. 제발 이제 정신 차리고 교회 함께 갑시다."

강팍하기만 했던 그 사람이 얼마 전에 저를 몰래 보자고 하면서 봉투를 내밀었습니다.

"이게 뭡니까?"

"예, 제가 그동안 너무 잘 못 살아온 것 같습니다. 생전 처음으로 헌금을 준비했습니다. 그런데 어떻게 하는지 몰라서 장로님 드립니다. 알아서 해주세요."

그러면서 눈물을 글썽이는 것이었습니다. 그토록 기다리던 그가 드디어 예수를 믿게 된 것입니다.

그뿐 아니라 선교헌금까지 전해준 것입니다.

그동안 깊이 빠져 있던 폭력의 세계에서 그는 해방된 것 같았습니다. 예수님으로 인해 새사람이 된듯 했습니다.

욕을 하고 차를 들이대고 했던 과거의 일들이 눈앞에서 필름처럼 지나갔습니다. 저도 모르게 눈물이 울컥 올라왔습니다.

"그래요, 이제 예수 믿어야지요. 예수 믿어야지요. 잘했어요. 정말 환영합니다."

시간이 걸릴 수는 있습니다. 그러나 포기하지는 말아야 합니다. 예수님의 사랑은 포기하지 않는 것이기 때문입니다.

그날 제 가슴은 감격에 흠뻑 젖었습니다. 아마 어깨에 잃었던 양을 둘러 메고 돌아 오는 목자의 마음이 그랬을 것입니다.

땅끝에 사는 영혼들을 위하여

우리나라의 땅 끝이라고 하면 누구나 전라남도 해남으로 알고 있습니다. 거기에 땅 끝 마을이란 곳도 있어서 그럴 것입니다. 그러나 저는 그렇게 생각하지 않습니다. 진정한 의미에서 땅 끝은 교통편도 없고, 전기도 들어가지 않으며 생필품 파는 가게조차 하나 없고, 학교도 없고, 의료시설도 없는 곳이라고 생각합니다. 그런 곳이 바로 낙도입니다. 그런 곳에는 대부분 노인들만 마을을 지키고 있습니다. 그 분들은 2만 불 시대를 눈앞에 두고 있는 우리나라와 아무런 상관이 없어 보입니다. 그 어떤 문명의 혜택도 볼 수 없기 때문입니다. 더 가슴 아픈 것은 그런 곳에는 교회조차도 없다는 사실입니다.

저는 이런 분들을 위해 무엇인가 할 수 있으면 좋겠다는 생각으로 낙도 선교를 생각했습니다. 1993년부터 작은 선교선 '등대호'를 마련해 여수 백야도를 중심으로 작은 섬들을 끌어안기 위해 나섰습니다. 배가 낡고 고장이 잦아 5년 정도 바다를 나서지 못하다가 2004년 가을에 새롭게 '등대호'를 구입하여 선교와 구제활동을 하고 있습니다.

섬선교는 참 어렵습니다. 황정식 목사님이라고 하는 분이 계십니다. 여수시 여천군 화정면 사도에 있는 사도교회를 담임하시던 분입니다. 그런데 너무 고생을 하셔서 위암 말기 판정을 받고 투병 중입니다. 저는 이 소식을 듣고 너무 마음이 아팠습니다. 정말 이름 없이 빛도 없이 헌신하셨던 분인데 고생만 하시고 그렇게 되니 가슴이 찢어지는 것 같았습니다. 특히, 큰 딸 혜주와 세훈이, 성훈이, 승훈이 이렇게 아들 셋이 있는데 그 아이들을 보면 안타깝기 그지없습니다. 저뿐 아니라 많은 분들이 가슴 아파 했습니다.

여수에서 학교를 보내기 위해서 연탄보일러를 쓰고 있는 11평 주공(극동) APT를 전재산으로 얻었는데 안타깝게도 집주인의 부도로 인해 쫓겨나게 되었습니다.

하나님께서 고아와 과부를 사랑하신 것처럼 여러분의 기도와 물질이 큰 위로와 힘이 되실 것입니다. 이분들이 기도와 물질의 도움으로 용기를 얻어 섬선교의 선봉에 다시 설 수 있기를 소망합니다.

(http://cts.tv → TV(선교/나눔) → 예수사랑 여기에 → 글내용 173번 → 강안숙 사모편 → 동영상보기) (ID:mirysys 비번:048282)

섬에 산다는 것 자체가 굉장히 외롭고 힘든 일입니다. 세상과 단절되다 보니 섬 주민들은 대부분 무속신앙에 젖어 있습니다. 그러나 그 분들은 매우 외로워서 자신들을 찾아 준다는 것만으로도 마음이 열립니다.

혼자서 살고 계신 할머니도 많이 있습니다.

저는 그 분들을 찾아뵙고 말합니다.

어부들을 전도하는 필자

"할머니, 꼭 저희 어머니 같으세요. 뭐가 제일 힘드세요?"

"외로운 게 제일 힘들어."

"그러세요? 자제분은 안 계세요?"

"왜 없어 셋이나 있지."

"육지에 있는 모양이네요."

"그렇지, 전라도에도 살고 서울에도 살고 그래."

"자주 안 다녀가나 봐요?"

"바쁜데 어디 올 시간이 있겠어? 온다 그래도 내가 못 오게 해."

그러나 제가 듣기에는 바쁜 것이 아니고 못 오게 한 것이 아니고 자식들이 이미 어머니를 잊어버린 것으로 들렸습니다. 그런 집을 여럿 봤기 때문입니다. 자식들은 어머니를 찾지 않은지 십여 년 되었을 것입니다. 그래도 홀로 남은 어머니들은 그저 자식 편을 들어 줍니다.

그토록 홀로 외롭게 살며 고생해서 자식들 키워 육지에 보내건만 도시에서 편하게 사는 자식들은 어머니를 까맣게 잊어버리고 자신들의 삶에만 충실하게 살아갑니다. 생각만 해도 자식들이 괘씸하기 그지없습니다.

저는 그 할머니들이 안타까워 그냥 두고 갈 수가 없었습니다. 어머니에게 가장 큰 효도가 전도였던 것처럼 어머니 같은 이 분들을 위해서 가장 좋은 일은 전도라고 생각했습니다.

"할머니, 그동안 너무 고생만 하고 사셨네요. 그런데 사람은 누구나 죽잖아요. 그렇죠?"

"그렇지, 나도 이제 곧 가야지."

대부분 7, 80대인 할머니 할아버지들은 죽음을 준비하고 살고 있습니다.

"죽음에 대해서 사람들은 보통 잠자는 것처럼 저 세상에 가는 것이라고 생각하지요. 그러나 그렇지 않아요. 사람은 영혼도 있고 육체도 있어요. 그 중에서 육체는 온 데로 돌아가요. 흙으로 다시 간다는 말이죠. 그리고 영혼은 두 군데로 나누어져요. 한 군데는 천국이고 다른 데는 지옥이에요. 지옥은 말도 못하게 뜨거운 유황불이 타고 있어요. 저는 할머니가 죽어서 지옥에 안가고 고생이 없는 천국에 갔으면 좋겠어요. 정말로요."

"그래? 그렇다면 좋겠구먼. 이승에서 고생했는데 저승에서라도 편히 살면 좋겠네. 어떻게 하면 천국에 가는데?"

"예수님을 믿으면 되요. 사람은 누구나 죄를 짓고 사는데 죄를 지었으니 죄 값을 치러야 할 것 아닙니까?"

"그렇지. 교도소에 갔다 와야지."

"그런데 예수님이 우리를 대신해서 십자가에서 죽으셨어요. 그것을 믿으세요. 그러면 천국에 갈 수 있어요. 꼭 그것을 믿으세요. 제가 마음이 아파서 못 살겠네요."

대부분의 할머니 할아버지들은 그런 저의 호소를 무시하지 않습니다. 외롭게 살고 고생한 것을 이해해 주는 저의 진심을 순수한 그분들은 받아들이기 때문이지요.

이제는 갈 때마다 함께 예배를 드립니다.

만약 교통편이 어렵고 여건이 좋지 않다하여 그 분들을 찾지 않으면 모두 지옥에 갈 수 밖에 없는 것입니다. 저는 이 사역을 하면서 너무나 귀한 일을 하나님이 저에게 주셨다고 생각합니다. 그래서 이 일이 힘들다 해도 멈출 수가 없습니다.

그런데 그 분들을 찾아간다는 것은 그야말로 히말라야를 등반하는 것과 같습니다. 4.6톤 '등대호'에 생필품을 가득 싣고 섬에 도착하면 모두 노인들인지라 저와 정 목사님 그리고 이 목사님 셋이서 생필품 박스를 선착장에서 마을까지 셀 수도 없는 계단을 몇 번이나 반복해서 오르며 날라야 합니다. 가장 힘든 것은 가스통입니다. 가스를 사용하면 생활이 편하기 때문에 가스통을 전달해주기

곡성 군수님과 영접 기도하는 모습

시작했는데 그야말로 고생길입니다. 지게에 딱 하나 밖에 질 수 없는데 그것을 지고 오르다보면 다리가 후들거리고 어지러워서 곧 쓰러질 것 같은 때가 한두 번이 아닙니다. 그러나 그렇게 올라가서 그 분들을 뵈면 모든 고생이 다 사라져 버리고 그렇게 기쁠 수가 없습니다. 땅 끝에서 하나님의 사람들을 만나는 기쁨이란 경험해 보지 않은 사람들은 상상조차 할 수 없는 것입니다.

어떤 섬은 할머니 단 한 분이 살고 계시기도 합니다. 또 어떤 섬에는 형제가 여섯이나 있는데도 전혀 돌보지 않는 할머니도 계십니다. 외롭고 쓸쓸하고 죽지 못해 살고 있는 그런 분들을 뵈면 저는 말로 다 못할 아픔이 가슴을 도려내는 것 같아 견딜 수가 없습니다. 겨우 배 한 척에 두 사람이 생필품과 복음을 들고 다니고 있는데 우리나라의 섬 숫자에 비하면 턱없이 부족한 실정입니다. 그래서 많은 사람들이 우리나라의 진정한 땅 끝인 섬들에 관심을 가지고 기도와 물질로 도울 수 있는 날이 빨리 오기를 기도합니다. 그리고 간단한 의료시설과 목욕시설이 완비된 배를 마련하는 것을 소원하며 기도하고 있습니다.

"땅 끝까지 이르러 내 증인이 되리라" 이 말씀을 가슴에 품고 저는 계속해서 섬 선교를 할 것입니다.

곡성 군수 예수 믿다

2004년 11월 곡성군에서는 기독문화축제가 있었습니다.

곡성군은 68개 교회가 있는데 그 중 43개 교회가 미자립교회입니다.

그만큼 열악한 선교 환경을 가지고 있는 지역입니다. 그런 만큼 교회 다니는 사람들을 좋지 않은 시선으로 보고 교회 자체의 사회 참여도 매우 소극적인 상태입니다.

그래서 기독문화선교회(대표: 황수관 박사)와 현지 교회들이 연합해서 곡성 지역에 예수그리스도의 사랑을 전파하고 기독문화를 긍정적으로 알리기 위해 큰 행사를 개최하였습니다. 축제 기간 동안 찬양이 곡성시내를 메아리치고 여러 가지 행사들을 통해 훌륭한 기독문화가 전시되고 많은 목사님들이 하나님의 말씀을 증거 하였습니다.

그런데 아주 귀한 순간을 하나님께서 저에게 허락하셨습니다. 기독문화축제에 주강사로 황수관 박사께서 오셨습니다. 저는 그 분과 함께 기독문화선교회에서 함께 일하고 있고 전부터 서로 잘 알고 있던 사이지만 전도에 대한 그 분의 뜨거운 열망은 도저히 따라갈 수 없을 정도였습니다.

그날도 그 분의 열정은 식을 줄 몰랐습니다. 저녁시간이 되어 연합집회에 참석한 많은 목사님들과 황 박사님과 곡성군의 여러 인사들과 곡성 군수님이 함께 식사를 하게 되었습니다. 식사 후 인사를 하고 다들 나가는데 황 박사님이 군수님에게 하나님 말씀을 전하고 싶다고 하는 것이었습니다. 저는 식사하는 내내 군수님을 어떻게 하면 전도할 수 있을까 하고 생각하던 참이었으므로 박사님의 말씀이 너무나 반가웠습니다. 황 박사님은 서울에서 미리 준비해간 성경을 군수님께 선물로 드리면서 자연스럽게 복음을 전했습니다. 진심으로 다가서니 군수님께서도 마음을 여셨습니다. 그 동안 절에만 다니신 분임에도 그 날 예수님의 이야기에 진지하게 귀를 기울이셨습니다. 그리고 천국과 지옥 이야기도 듣고, 부자와 나사로의 이야기도 듣고, 황 박사님의 삶도 듣고 그 자리에서 예수님을 영접했습니다. 어려운 자리였지만 하나님께서 주신 전도하고 싶은 마음을 거부하지 않고 계속 가슴에서 키웠더니 하나님께서는 변함없이 열매를 주셨습니다.

만약 식사가 끝나고 그냥 인사만 하고 가버렸더라면 그 분은 언제 구원 받게 될지 모르는 일이었습니다.

저녁 집회가 끝나고 황 박사님은 모여 있던 5백여 명의 참석자들에게 선포했습니다.

"오늘, 바로 오늘 곡성 군수님께서 예수님을 영접하셨습니다. 이제 예수 안에서 한 가족이 되셨습니다. 너무 기쁜 날입니다."

모든 참석자들은 뜻밖의 소식에 놀라며 우레 같은 박수와 환호를 보냈습니다. 그것은 군수님을 환영하고 하나님께 감사하는 마음이 함께 녹아 있는 진심의 표시였습니다.

그리고 그것은 어린 양을 찾아 돌아오는 목자의 웃음소리였고 천하보다 소중한 영혼을 환영하는 하늘의 축포소리였습니다. 아직도 귀에 쟁쟁한 그 날의 기억은 제 마음에 깊이 남아 복음을 전하는 제 마음과 목소리를 더욱 힘 있게 할 것입니다.

너희 중에 어느 사람이 양 일백 마리가 있는데
그 중에 하나를 잃으면
아흔 아홉 마리를 들에 두고 그 잃은 것을 찾도록
찾아 다니지 아니하느냐
또 찾은즉 즐거워 어깨에 메고
집에 와서 그 벗과 이웃을 불러 모으고 말하되 나와 함께
즐기자 나의 잃은 양을 찾았노라 하리라
내가 너희에게 이르노니 이와 같이 죄인 하나가 회개하면
하늘에서는 회개할 것 없는 의인 아흔 아홉을 인하여
기뻐하는 것보다 더하리라

(누가복음 15:4~7)

두부전도왕 반봉혁 장로의 전도 10계명 8

저희가 사도의 가르침을 받아 서로 교제하며 떡을 떼며
기도하기를 전혀 힘쓰니라
(사도행전 2:42)

영적 함포사격 - 기도

전도할 때는 준비해야 합니다. 마귀와 하나님간의 전쟁이기 때문입니다. 2차 세계대전 때의 노르망디 상륙작전이나 한국전쟁 때의 인천 상륙작전을 보면 보병들이 육지로 진입하기 전에 멀리 군함에서 함포로 엄청난 지원 사격을 하는 것을 볼 수 있습니다. 그것은 보병들이 잘 진격할 수 있도록 대포로 상대방의 진영을 초토화시키기 위해서입니다. 전도할 때도 마찬가지입니다. 전도하기 전에 먼저 방어하는 상대방의 마음을 초토화 시켜서 옥토로 바꾸는 작업을 해야 합니다. 이것은 기도로 가능합니다. 기도를 하면 상대방의 마음이 열리게 됩니다. 그러고 나서 전도를 해야 합니다. 물론 급하게 전도할 때도 있지만 그 순간마저도 짧게 기도하고 전도해야 합니다. 영적인 전쟁인 만큼 영적인 힘을 기른 다음에 전도해야 하는 것입니다.

저는 영적인 힘을 기르는 것 중 한 가지를 추천하라면 단연 새벽기도를 추천하고 싶습니다. 여러 가지 기도하는 방법이 있지만 새벽기도는 매일 할 수 있다는 점과 하루 일을 시작하기 전에 한다는 점이 좋습니다. 그리고 모두 잠들어 있는 시간을 깨우면서 이 세상을 이끌어가는 선구자적인 기분이 된다는 것과 그리고 예수님이 하셨다는 것 때문에 저는 특히 좋아합니다. 새벽기도에서 얻은 은혜의 체험도 많이 있습니다.

한번은 제주도에 집회를 가려고 준비하며 새벽기도를 했는데 하나님께서 "소금이 되어라."라는 실제 음성을 주셔서 그것을 깊이 생각하게 되었습니다. 그런 생각을 하다가 비행기를 탔는데 기내에서 물을 먹다가 갑자기 깨달아지는 것이 있었습니다. 그것은 소금

주여, 이 산지를 내게 주소서

은 물에 들어가면 깨끗하게 녹아버린다는 것이었습니다. 그래서 눈에 전혀 보이지 않게 됩니다. 전도할 때 그리고 하나님의 일을 할 때 저를 드러내지 말라고 하신 말씀으로 생각되었습니다. 눈에 보이지는 않아도 분명히 맛은 짜게 하는 것이 소금입니다. 그리스도인들은 그렇게 살아야 하는 것입니다.

김장 할 때도 소금은 꼭 필요합니다. 그래서 제일 먼저 배추를 소금에 절여 놓습니다. 그러면 소금이 배추 속으로 스며들어 짠 맛을 내게 됩니다. 그러나 보이지는 않습니다. 그런데 저는 여기서 재미있는 것을 한 가지 깨달았습니다. 꼭 필요한 소금은 김장을 담그고 나면 전혀 보이지 않는데 꼭 필요하지 않은 것이 김장을 다 먹을 때까지 보이는 것이 있었습니다. 그것은 바로 깨였습니다.

"하나님, 제가 혹시나 깨 같은 사람이지는 않았나요? 제가 하나님 말씀대로 진정한 소금의 모습을 하고 살아갈 수 있도록 도와주세요."

그 감동으로 비행기에서 제주도에 도착할 때까지 저는 울면서 기도할 수밖에 없었습니다. 저는 지금도 그때 새벽기도를 통해 주신 하나님의 말씀에 순종하고 있습니다. 새벽기도는 하루를 하나님의 뜻대로 살게 하는 힘입니다.

1계명 : 절대 포기하지 말아야 한다 (예수님의 마음으로 전도하라)

어떤 기자가 저에게 물어 본 적이 있습니다.

"장로님, 전도하다가 실패했을 때가 있었나요?"

그러면 저는 자신 있게 대답합니다.

"전도대상자가 죽어버리기 전에는 한 번도 없었습니다."

왜 그렇게 자신 있느냐면 저는 포기하지 않기 때문입니다. 전도할 때 가장 중요한 것은 포기하지 않는 것입니다. 전도될 때까지 찾아갑니다. 계속 기도하면서 끊임없이 찾아갑니다.

핍박하는 사람이나 구원에 대해 무관심한 사람들은 전도하기 싫을 때도 있습니다. 그러나 포기하면 안 된다는 마음을 계속 되새깁니다. 그리고 예수님의 마음을 생각해 보고 예수님의 눈으로 보고 예수님의 손으로 만지려고 노력합니다. 그리고 절대로 포기하지 않습니다. 그것이 전도의 마음인 것 같습니다. 지속적인 사랑이 진정한 사랑입니다.

저의 장모님은 불교에 깊이 귀의했던 분입니다. 그래서 제가 교회 다니는 것도 그리고 나중에 아내가 교회 다니는 것도 마음에 들어 하지 않으셨습니다. 그래도 저는 계속 전도해서 아내와 장인어른과 다른 처가의 식구들을 모두 교회에 나가게 만들었습니다. 그러나 장모님만은 팔순이 되도록 교회를 나가지 않으셨습니다. 저에겐 최대의 거물이었던 셈입니다.

어느 날 아내가 눈물을 흘리면서 이러는 것이었습니다.

"이번 주일이 엄마 팔순인데 우리는 못 가겠네."

"그래? 그렇구나. 미처 몰랐네."

"하필 주일이어서 못 가겠네."

저는 그날 밤 깊이 생각했습니다. 그리고 사위가 되서 장모님에게 이렇다 할 효도도 못해드렸는데 이번에 가서 거기서 팔순잔치에 예배를 드리고 전도를 해야겠다고 결심했습니다.

아내에게 말했습니다.

"내가 갈게. 장모님 팔순에 우리 같이 갑시다."

그 무렵 아내의 동생이 신학공부를 하고 있었는데 교회 봉사를 하고 오다가 사고로 다리를 심하게 다쳐서 장모님은 기독교에 대해서 좀 더 마음이 닫힌 상태였습니다.

올라가는 제 마음은 편하지 않았습니다.

그런데 막상 올라가니 장모님은 매우 반가워 하셨습니다.

"자네가 웬일인가? 일요일인데 어떻게 왔는가? 교회 장로가 일요일에 이렇게 와도 되는가?"

정말 장모님은 저를 안으며 많이 반겨주셨습니다.

"어머님, 하나님께서도 이런 것을 원하시는 것 같습니다. 자주 뵙지도 못하고 어머님 구원도 못시키고 어떻게 효도한다고 할 수 있겠습니까? 하나님도 그러시는 것 같더라고요."

장모님은 그날 저와 손을 잡고 영접기도를 하셨습니다.

전도한지 21년 만에 드디어 예수님을 영접하는 순간이었습니다. 가장 오래 걸린 전도였습니다. 저는 감격하며 예배를 드렸습니다. 장모님과 함께 예배드리고 있다는 것이 잘 믿어지지 않았습니다. 제 마음속으로 하나님께 깊은 감사를 드렸습니다.

그로부터 2년 후 장모님은 병으로 입원하신 중에 중환자실에서 왕지교회 조대성 목사의 집례로 세례를 받으시고 3일 후에 돌아가셨습니다. 돌아가셨지만 이제 천국에 가면 장모님을 뵐 수 있습니다.

장모님과 장인 어른

제 친구 이야기입니다. 그 친구는 저와 동창으로 자주 만났습니다. 동창인 만큼 전도도 오래전에 시작했습니다. 그러나 그 친구는 예수님을 영접해야 한다는 말에 계속 자기의 고집을 부리며 따르지 않았습니다. 광양시청 공무원을 거쳐 전남일보 기자를 지내며 왕성한 사회적 활동을 하는 소위 잘 나가는 친구였습니다. 그런데 가정이 파탄이 났습니다. 경제적으로도 상당히 어려워져 안 해본 일이 없을 정도로 고생을 하게 되었습니다. 어느 날은 저를 찾아와 다슬기 엑기스 장사를 하고 있다며 사달라고 했습니다. 약국을 하고 있는 저에게 그런 것을 팔러 왔으니 참 그 친구도 용감하다고 해야 할지 어리석다고 해야 할지 구분이 안 되더군요.

저는 그 친구의 엑기스를 샀습니다. 동창인데다가 계속 전도해 오던 친구였기 때문이었습니다. 그리고 밥을 먹으러 갔습니다. 장로라서 제가 기도했습니다.

"하나님, 이 친구가 하루아침에 집안이 어려워졌습니다. 지금은 혼자서 이렇게 살겠다고 고생하고 있는데 하나님께서 함께 해 주시옵소서. 지금 당신의 아들이 얼마나 외롭겠습니까?"

기도가 끝나자마자 그 친구는 울음을 터뜨렸습니다. 위로하며 겨우 밥을 먹이고 저는 그 친구를 교회로 데리고 갔습니다. 그리고 기도하라고 말했습니다.

"이보게, 지금 하나님 앞에서 자네 마음을 다 털어 놔. 하나님은 다 들으시는 분이셔. 잘못한 죄들도 다 회개하고 마음에 응어리 진 것도 다 말하고 한탄스러운 것들도 다 쏟아내. 그러면 하나님이 위로해 주실 거야."

그 친구는 교회라고는 한 번도 나가보지 않았었는데 그날 오후 2시부터 6시 까지 무려 4시간 동안을 울면서 기도했습니다. 하나님을 그 날 만난 것이었습니다.

전도를 시작한 지 18년만이었습니다.

순천에 금당천이라는 목욕탕이 있었습니다. 그 목욕탕은 임찬흠이라는 할아버지가 운영하고 있었습니다. 저는 그분을 전도하기로 마음먹었습니다. 그래서 거의 매일 새벽 목욕을 하러 갔습니다. 하지만 좀처럼 마음을 열지 않았습니다. 계속 딱딱한 콩이었습니다.

함께 신앙생활 하는 집사님이 그만두라고 할 정도였습니다.

그러나 저는 포기하지 않았습니다. 전도는 그 사람이 구원받을 때까지 해야 한다고 늘 생각했기 때문입니다.

그 할아버지는 동생이 기독교장로회 총회장까지 했던 분인데도 교회 이야기를 하면 냉정하게 외면했습니다. 그래도 포기하지않고

광도 할머니들 전도

계속 말씀을 전했습니다. 그렇게 하기를 4년이 지났습니다.

어느 주일 예배에서 대표기도를 맡아 기도를 막 시작하려고 하는 순간 예배실 문이 벌컥 열리면서 할아버지가 들어오고 있었습니다. 저는 말문이 막혀 버렸습니다. 그분을 본 순간 너무 감사하고 감격

해서 아무 말도 할 수가 없었습니다. 그런데 이것뿐만이 아니었습니다. 그 할아버지 뒤로 부인, 손자, 손녀까지 5명이 줄줄이 따라 들어왔기 때문입니다. 4년을 포기하지 않고 전도했던 보람이 나타나는 순간이었습니다.

만약 포기하고 전도하지 않았다면 장모님과 친구와 금당천 할아버지가 과연 예수를 믿게 되었을까 생각을 해봅니다. 하나님의 은혜는 포기하지 않는 자에게 임하는 것을 깨달았습니다.

2계명 : 적을 알아야 100전 100승 한다

저는 전도를 하려고 할 때 먼저 그 사람에 대해서 자세한 내용들을 파악합니다. 무슨 정보원들같이 하는 것은 아니지만 그 사람이 어떤 일을 하고 어떤 사람들과 어울리며 어떤 생각을 가지고 있는지에 대해서 생각합니다.

그리고 기도합니다. 그 사람의 사정을 알게 해달라고 기도합니다. 그러면 하나님께서 여러 사람들을 통해서 그 사람의 자세한 이야기를 알려주십니다. 그래서 그 사람의 관심사를 함께 나눌 수 있게 됩니다.

고민을 함께 나눌 수 있는 단계가 되면 전도하기는 쉬워집니다. 고민을 나눈다는 것은 서로 신뢰를 하고 있다는 것입니다. 서로 신뢰를 하게 되면 좋은 점이 많습니다. 제가 하는 이야기는 무슨 말이든 일단 신중하게 받아들인다는 것입니다. 그래서 별 관심이 없던 예수님에 대한 이야기를 하더라도 심각하게 생각을 하게 되는 것을 경험했습니다.

"내가 신뢰하는 저 사람이 믿는 예수라면 나도 한번 믿어볼까?" 하는 생각을 하게 되는 것 같습니다.

성경에 아주 좋은 예가 있습니다. 바로 수가성 우물가의 여인입니다.

예수께서 대답하여 이르시되 이 물을 마시는 자마다 다시 목마르려니와

요한복음 4장 14절부터 보면 다음의 구절이 나옵니다.

> "내가 주는 물을 먹는 자는 영원히 목마르지 아니하리니 나의 주는 물은 그 속에서 영생하도록 솟아나는 샘물이 되리라 여자가 가로되 주여 이런 물을 내 게 주사 목마르지도 않고 또 여기 물 길러 오지도 않게 하옵소서 가라사대 가 서 네 남편을 불러오라 여자가 대답하여 가로되 나는 남편이 없나이다 예수께 서 가라사대 네가 남편이 없다 하는 말이 옳도다 네가 남편 다섯이 있었으나 지금 있는 자는 네 남편이 아니니 네 말이 참되도다"

예수님은 수가성 우물가에 물 길러 온 여인의 상태를 정확히 아셨습니다. 만약 그렇지 못했다면 예수님과 그 여인과는 아무런 관계도 형성되지 못했을 것입니다.

상대방의 사정을 이해하다 보면 어느 때 예수님을 소개하면 가장 좋겠다 라는 느낌이 옵니다. 예수님처럼 핵심을 찌를 수 있는 것이 지요. 핵심을 찌를 수 있다면 이제 예수님을 소개할 준비를 하고 기도를 해야 할 단계입니다.

3계명 : 눈높이를 맞추라

할머니들에게 다가갈 때 가장 좋은 도구는 사탕입니다. 연세 많으신 분들은 단 것을 좋아하시더라고요. 그래서 제 차에는 언제나 사탕이 몇 봉지씩 있습니다. 저는 그분들과 식사를 할 일이 있으면 된장찌개를 먹습니다. 청국장도 좋고요.

학생들에게는 사탕 줘봐야 소용없습니다. 그리고 밥도 된장찌개는 안 먹습니다. 사 준다 그래도 잘 안 먹습니다. 오히려 간단하게 패스트푸드 사주는 것이 더 좋습니다.

그리고 시골 노인들에겐 고상한 말들은 어색합니다. 아주 신사적으로 다가가는 것도 잘 맞지 않습니다.

"저, 시간이 괜찮으시면 제가 하는 이야기를 좀 들어주시겠습니까?" 한다거나 "잠시 시간을 내주시면 감사하겠습니다." 하는 것 모두 대화를 트는 데 실패할 가능성이 높은 말들입니다.

"할아버지, 어디 가세요?", "할머니, 고생이 많으시네요." 하는 것이 오히려 훨씬 쉽게 다가설 수 있는 말들입니다.

전도할 때는 눈높이를 맞춰야 합니다. 가진 것 없고 배운 것 없는 사람들에게 있는 사람 티내고 다가가면 일단 거부당합니다. 마음을 닫으라고 하는 것과 똑같습니다. 없는 사람에게는 없는 사람의 모습으로 다가가야 합니다. 반면 있는 사람에게는 있는 사람으로 다가가야 합니다. 가지고 있는 지식들을 모두 자랑해도 좋습니다.

학생에겐 학생 때를 기억하고 학생으로 다가가야 합니다. 환자에겐 환자로 다가서야 합니다. 어부에겐 어부로, 선생님에겐 선생님으로 그리고 고아에겐 고아로 다가가는 것이 중요합니다.

17년 전쯤 전남 구례군 피아골에서 저는 두 명의 아이들을 만났습니다. 이름이 도금이와 주성이라고 했습니다. 도금이는 초등학교 5학년이었고 주성이는 2학년이었습니다.

우연히 잡지를 보다가 그 아이들의 이야기를 접하게 되었는데 그들은 고아였습니다.

엄마는 아빠와 날마다 싸우다가 자살을 했고 아빠는 엄마가 죽고 난 후 계속 술을 먹고 방황하다가 그만 술로 인해 죽고 말았습니다. 아이들만 남겨진 이야기가 잡지에 났었는데 그 때 저는 그들을 돕고 싶었습니다.

저는 이것저것 생필품들을 싣고 피아골로 갔습니다. 산골짜기 흙집에 살고 있었는데 참 어려운 살림이었습니다. 여기저기 소식이 알려져 많은 사람들이 도금이와 주성이를 도우러 왔습니다. 그런데 대부분 일회성 방문으로 사진 찍고 물건을 전달해 주고 가버렸습니다. 그들 형제는 오히려 더 외로웠습니다. 다 가고 나면 다시 외로움이 스멀스멀 그들의 마음을 지배해 버렸나봅니다.

저는 그들을 찾아가서 위로했습니다. 하나님께서는 저에게 그들을 도울 수 있는 지혜를 주셨습니다.

"얘들아, 얼마나 힘드니? 그리고 얼마나 외롭니? 나도 다 안단다. 나도 아버지가 일찍 돌아가셨고 어머니도 돌아가셔서 너희들처럼 고아란다."

그 말에 그들은 조금 마음을 열었습니다. 그리고 제가 계속 그들을 찾아가니까 한번으로 끝나는 만남이 아닌 것을 알고 조금씩 신뢰하기 시작했습니다.

고아였던 그들에게 고아의 마음을 가지고 다가가니 관계를 형성할 수 있었습니다.

저는 도금이가 초등학교를 졸업할 때까지 도와주었습니다. 책값, 학비, 옷, 식량 등 모든 필요한 것들을 가져다주었습니다.

그리고 아들 웅철이에게 함께 놀게 하기도 하고 추석날 그들이 갈 데가 없는 것을 생각하고 그들과 함께 자기도 했습니다.

그리고 그들을 구례 초지면 평도교회로 인도했습니다. 그 교회에서 그들은 새로운 가족들을 만난 것 같이 기뻐하며 잘 생활하고 있습니다.

전도하려는 사람의 마음을 알고 거기에 눈높이를 맞추려고 노력하면 예수님의 마음을 이해할 수 있고 상대방의 마음도 이해할 수 있습니다.

4계명 : 감동시켜라 – 끈질긴 사랑

저는 앞서 비래마을 소드레 할머니를 전도할 때 비가 오나 눈이 오나 찾아갔다고 했었습니다. 그것은 지나고 보니 전도대상자를 감동시키는 데 아주 좋은 효과가 있었습니다. 절대 변하지 않는 사람이라는 신뢰를 심어줄 수 있었기 때문입니다. 전도하는 사람이 신뢰를 얻으면 그 때부터 예수님도 신뢰를 하게 됩니다.

"저 사람이 저렇게 믿는 예수 나도 한번 믿어보자."라고 생각하는 것입니다.

비래마을 유일의 부자 할머니를 전도할 때도 효과를 보았습니다.

가랑비에 옷 젖는다고 구박해도 찾아가고 쫓아내도 찾아가고 지나가다 들리고 비오면 비 온다고 찾아가고, 눈 오면 눈 온다고 찾아가고, 바람 불면 바람 분다고 찾아가면 그 분은 어느 새 전도자의 존재에 의지하게 됩니다. 그러면서 점점 그 정성에 감동하게 되는 것입니다.

한번 갔는데 상대방이 냉정하게 쫓아냈다고 합시다. 그래서 그냥 낙심해서 그 집을 다시 안 찾아간다면 그 사람이 어떤 생각을 하겠습니까? "예수 믿는 것이 그냥 그런 건가 보다. 한번 오더니 안 오네."라고 하지 않겠습니까? 그것은 예수를 꼭 믿어야 되는 것은 아니구나 하는 것과 똑같은 것입니다. 꼭 믿어야 할 예수라면 꼭 믿어야 하는 것을 몸으로 보여줘야 하는 것입니다.

왕지교회에 이은주 집사가 있습니다. 그 분이 하루는 저에게 남편을 전도하고 싶은데 어떻게 하면 되겠느냐고 물었습니다. 저도 잘 아는 사람이었습니다. 저는 물었습니다.

"만약 어떤 사람이 눈을 감고 벼랑을 아슬아슬하게 걷고 있으면 어떻게 할 겁니까?"

"빨리 가서 데려와야지요."

"그것입니다. 꼭 예수를 믿게 하고 싶으면 남편이 벼랑 끝을 걷고 있다고 생각하십시오. 언제 죽을지 모르는 상태에 있다고 생각하십

비가 오는 날에도 쉬지 않는 전도

시오. 이것은 생각만 그렇게 하는 것일 수도 있지만 실제로 사람의
인생이 그렇습니다. 언제 죽을지 모르는 것 아닙니까?"

이 집사는 집에 가서 남편에게 "당신은 지금 벼랑 끝을 걷고 있는
것 같아요."라고 말하면서 "정말 당신이 벼랑에서 떨어져 죽으면
안 되기에 당신을 잡으려고 해요."라고 했다고 합니다.

"나는 당신을 사랑해요. 그래서 당신이 죽어서도 나랑 천국에 같
이 갔으면 좋겠어요."

남편은 그 말에 마음이 녹았습니다. 그리고 교회 나가는 것은 물
론 어려운 일을 도맡아 하는 사람이 되었고 찬양단의 리더로서 봉
사하고 있습니다.

간절함과 끈질김은 여기서 나오는 것입니다. 누가 뭐라 해도 내
가 당신을 전도해야 하는 이유가 꼭 있고 그것은 영원한 것이고 절

대 변질되지 않는 것이며 이 세상에서 가장 좋은 것이라는 것을 알려주는 것입니다. 그리고 그렇기 때문에 당신도 꼭 알게 하고 싶다는 마음으로 다가간다면 어느새 깊은 감동으로 전달될 것입니다.

5계명 : 진심으로 기도해 주라

저는 전도하다가 일단 관계가 형성되면 믿지 않는 사람이라도 그의 손을 잡고 혹은 함께 서서 기도해줍니다. 누구나 어려운 일은 있습니다. 몸이 아프든지, 돈이 없든지, 자식이 속을 썩이든지 등 누구에게나 한 가지 이상 어려운 일이 있습니다. 처음부터 그런 일을 알아내기는 어렵습니다. 그러나 그런 어려움이 있을 것을 생각하고 기도해 주십시오.

노인을 만나면 "하나님, 제 아버지 같은 이분을 하나님이 위로하여 주십시오." 라고만 해도 됩니다. 그러면 마음이 전달됩니다. 아픈 사람을 만나면 "하나님, 이분이 비가 오면 허리가 결리고 쑤시고 아프다고 합니다. 오늘도 비가 오는데 이분의 허리를 하나님께서 만져주시고 따뜻하게 해주세요. 결리지 않고 아프지 않게 해주세요."라고 기도하면 됩니다. 자기도 모르게 그분은 하나님께 마음이 갑니다.

그리고 계속 그것으로 관계를 유지하면 됩니다.

"할머니, 허리가 좀 어떠세요?", "할아버지, 건강하시죠?"

그들은 훨씬 친근하게 대답할 것입니다. "오늘은 예수쟁이를 보니까 기분이 좋네."

믿지 않는 사람들을 위한 기도는 잉태라고 생각합니다. 그 기도는 반드시 결실을 얻게 됩니다. 진심은 반드시 통합니다.

6계명 : 그들의 기존 신앙과 경험을 무시하지 말라 – 160명의 영혼이 하나님께

예수님을 믿지 않는 사람들은 무엇이든지 한 가지 이상은 다른 것을 믿고 있습니다. 그들에겐 그것이 신앙입니다. 때로 우리들은 그들이 믿는 신앙을 마귀라고 해버릴 때가 있습니다. 그것은 분명히 맞는 말입니다. 그러나 아직 믿지 않는 사람에게 그렇게 말해버리면 마음을 닫아 버릴 수 있습니다. 그래서 저는 다른 종교를 가지고 있는 사람들을 전도할 때에는 그것을 인정해 줍니다. 저는 그것을 인정해 주고 160명을 한꺼번에 전도한 적이 있습니다.

순천동부교회라는 곳에서 노인대학이 열리고 있었는데 제가 하루 특강을 하러 갔습니다. 160여명 노인들이 앉아 있었습니다. 교회에서 노인들의 구원과 복지를 위해서 개설한 학교였습니다. 참 좋은 생각이었습니다. 소일거리가 없는 노인들이 동네에 모여서 화투나 치고 술이나 먹고 그러기 쉬운데 교회에서 그분들을 모셔서 여러 가지 유익한 프로그램을 하는 것은 여러모로 필요한 일이라고 생각합니다.

그런데 한 가지 문제는 그분들이 교회에 자연스럽게 나오는 것은 해결이 되었으나 전도하기는 어려웠다는 것입니다. 아마 그래서 저를 초청한 것 같았습니다.

그들의 생각을 존중해 준다는 것은 마음을 이해한다는 것입니다

저는 딱딱하게 앉아 계신 그 분들 앞에 섰습니다. 많이 강단에 서 봤지만 그렇게 긴장되었던 적은 처음이었습니다.

"사랑하는 아버님, 어머님. 오늘 여러분들을 모시고 말씀을 나누게 되어 참 기쁩니다."라고 시작했습니다. 그리고 그분들이 살아온 세월을 나누었습니다.

"한국전쟁을 겪었고 여순반란사건을 지냈고 갖은 풍파를 헤쳐 온 아버지, 어머니들을 저는 정말 존경합니다."

그들의 경험과 인고의 세월들을 함께 나누었습니다.

"여러분들은 오로지 자식 잘 되기를 바라면서 고생하고 또 고생하면서 오늘까지 왔습니다.

우리 부모님 자신들은 마실 것 하나 제대로 못 잡수시면서 오직 자식들을 잘 먹이고 공부시키기 위해서 헌신하셨고, 밤을 새가며

초롱불 밑에서 헌 양말을 꿰매 주셨던 어머님, 밤잠을 자지 못하고 몇 번씩 손을 데어가면서 정성스럽게 옷을 다려주셨던 어머님, 아버님 같은 분들이 계셨기 때문에 이 나라가 경제대국으로 발전할 수 있었고, 잘 사는 나라가 되었습니다."

인정받은 사람은 그만큼 마음이 열리는 것 같습니다.

"그래서 저는 살아생전에 고생만 하신 여러분들이 죽어서까지 고생을 하면 안 되겠기에 여기 섰습니다. 남은여생 편안하게 사시는 것도 중요하지만 이 세상에서 좋은 것 먹고 좋은 옷 입고 호강해봐야 몇 년 하겠습니까? 죽으면 영원한 세상이 오는데 그 때 호강하고 살아야 하지 않겠습니까?"

여기까지 말하면 사람들은 감동되다가도 기독교에 대한 부정적인 감정 때문에 배타적인 자세가 되려고 합니다. 이 때 상대방의 종교이야기를 합니다.

"그동안 우리 어머님, 아버님들이 섬겼던 부처님과 맹자와 공자님을 저도 존경합니다. 그분들도 사랑과 자비와 헌신을 얘기했습니다. 나는 절대 그분들이 나쁘다고 생각해본 적이 없습니다. 그렇지만 그분들은 우리에게 위대한 스승이요, 도덕가는 될 수 있지만 결코 우리의 구세주는 될 수 없습니다. 왜냐하면 예수님은 이 자리에 계신 우리 어머님, 아버님의 죄와 저의 죄를 담당하시기 위해 말로만이 아니라 직접 사랑의 십자가를 지셨습니다. 그래서 예수님께서는 요한복음 14장 6절에 "나는 길이요, 진리요, 생명이니 나로 말미암지 않고는 아버지께로 올 자가 없느니라"고 했습니다."

그곳에 참석한 노인들은 다시 마음이 열리는 것 같았습니다. 그분들이 지금껏 옳다고 믿어 온 것들을 처음부터 완전히 무시하면 거부감이 더 커질 수 있습니다.

그리고 저는 말을 이었습니다.

"사람들은 죽으면 잠자는 것처럼 생각하는 사람들이 많이 있습니다. 그런데 안타깝게 믿지 않는 사람들은 임종 직전에 두려워하고, 떨면서 공포에 쌓여있는 모습을 저는 많이 봤습니다. 이 자리에 계신 아버님, 어머님들도 아마 그렇게 임종하는 모습을 많이 보셨을 겁니다. 믿지 않는 사람들은 영화에서 나오는 것처럼 검정 옷에 갓을 쓰고 핏기가 없는 전설의 고향에나 나오는 지옥사자들이 데려가려고 할 때 하나같이 안가고 싶어서 발버둥치는 모습을 여러분들이 봤을 것입니다. 그런데 예수 믿고 구원 받은 사람들은 밝은 모습으로 오늘 이 자리에서 수고하고 있는 여선교회 성도님 같은 아름다운 분들이 천사의 복장을 하고 와서 여러분들을 인도하고 갈 겁니다. 이 시간에 사랑하는 우리 아버님, 어머님, 제가 믿고 우리 어머님을 천국으로 보내주신 예수 그리스도를 영접하시길 바랍니다. 이 시간에 예수님을 나의 구주로 영접하면 하나님이 남은여생을 축복하시고 앞으로 눈물과 고통과 질병이 없고, 오직 감사와 찬양과 사랑이 넘치는 영원한 천국으로 들어갈 수 있습니다."

저는 그분들의 손을 모두 잡게 했습니다. 그리고 예수님을 믿고 천국에 이르기를 희망하는 분들은 손을 들어보라고 했습니다. 놀라운 일이 벌어졌습니다. 모두 손을 든 것입니다. 그 자리에 참석한

160여명 할머니 할아버지들이 모두 손을 들었습니다. 저는 영접기도를 했고 그분들은 따라 했습니다.

저는 아무것도 한 것이 없고 그저 그분들의 세월을 존중해 주었고 그분들의 종교를 인정해 주었습니다. 그러나 그분들의 세월과 종교가 의미 있는 것이기는 하지만 그것으로 끝나면 아무것도 아니라고 알려주고 예수님께서 진실한 구세주가 되시는 분이라고 소개했을 뿐입니다.

아마 그분들의 마음속에는 다른 것은 그저 철학이고 깨달음이고 종교로 믿어야 할 대상은 오직 예수밖에 없는 것이라고 생각했을 것입니다.

개인적인 생각일 수 있지만 다른 종교를 가지고 싸우면 같은 신이라고 인정하는 것이 될 수 있다고 생각합니다. 그래서 오히려 인정하고 그것을 훨씬 초월한 예수님이 계시다고 알려주는 것이 옳은 방법이 아닌가 합니다.

어쨌든 그날의 160명 전도는 저에게 큰 사건이었습니다. 사도행전에 나오는 일이 지금 일어나지 않는다고 저도 스스로 제한하고 있었던 것이 아닌가 싶어 회개하기도 했습니다. 깨어 전도하는 사람들에게 하나님은 반드시 열매를 허락하실 것입니다. 누구든지 그것을 믿는 자는 그렇게 할 수 있습니다. 그렇게 못하는 것은 바로 스스로 믿지 않고 있기 때문입니다.

7계명 : 물 흐르듯 자연스럽게 시작하라

전도의 방법 중에 관계를 먼저 형성하는 것이 있습니다. 그런데 관계를 형성하기가 쉬운 것이 아닙니다. 저는 관계를 만들고 싶은데 그 쪽에서 아무 관심이 없거나 무시해 버리면 관계형성이란 요원한 것이 되고 맙니다. 마치 병원에서 수간호사가 부드럽고 아프지 않게 주사를 놓는 것과 같습니다. 그래서 저는 자연스럽게 다가갈 수 있는 방법을 연구했습니다. 그것은 저와 만날 수밖에 없는 사람들을 전도하는 것이었습니다. 그런 사람들 중에 하나는 저희 약국에 오는 손님들이었습니다. 그분들은 손님이고 저는 약국주인으로서 이미 관계가 형성되어 있었습니다. 그래서 그분들을 대할 때 최선을 다했고 꼭 예수님에 대해 이야기하곤 했습니다.

어떤 할아버지 한 분이 찾아 오셨습니다. 칠순이 넘은 나이에도 그분은 정력에 관심이 많았습니다. 그래서 자주 정력에 도움이 되는 약을 사가시곤 했습니다. 그날도 그 약을 달라고 하기에 저는 말했습니다.

이미 관계는 형성되어 있었고 그 사람의 관심사도 파악하고 있는 셈이었습니다.

"할아버지, 그 약은 계속 드셔야 힘이 세져서 행복하잖아요. 그런데 저한테 한번 먹으면 영원히 행복해지는 약이 있는데 한번 보시겠어요?"

그분 관심은 힘이기 때문에 당연히 솔깃합니다.

"그런 약이 어디 있어?"

"바로 구약과 신약이예요. 성경에 보면 예수님 믿고 천국에 가면 사람이 영원히 행복하게 산다고 그랬거든요. 성경책 한번 읽어보세요."

"예끼 이 사람아!"

그분은 그렇게 농담으로 알아듣고 갔지만 지금은 교회 집사님이 된 것을 보면 신약, 구약 농담이 헛것이 아니었다는 것을 알게 됩니다.

대형 할인마트에서 아내와 장을 보고 있었습니다.

저는 전도에 쓰기도 하고 낙도선교를 할 때 전해 드리려고 과자와 생필품을 한꺼번에 많이 삽니다. 그래서 물건을 살 때 많이 사다 보니 값이 조금이라도 싼 것에 손이 갑니다. 이름은 같으나 회사는 다른 경우의 상품 앞에서 특히 그런 경우가 많습니다. 마침 어르신들이 좋아하는 과자를 하나 고르고 있었습니다. 그런데 그 과자의 다른 회사 직원이 그 앞에 있다가 저에게 이러는 것이었습니다.

"아저씨, 이게 값은 좀 비싸지만 맛은 더 좋아요. 값이 비싼 만큼 값어치를 해요. 그리고 이게 원조예요. 아저씨 이걸로 사세요. 네?"

저는 제가 전도할 때 하는 방법과 비슷한 느낌이 들어서 마음에 감동이 되었습니다. 그래서 그것을 사기로 했습니다.

"그래요, 내가 그것을 살게요. 그런데 내 말도 좀 들어 줄 수 있어요?"

그 직원은 당연히 손님인 저의 말을 들어 준다고 했습니다.

"부담스러운 것은 아니에요. 그냥 선물을 하나 주려고 해요."

"뭔데요?"

"첫째는 이것을 20박스 주세요."

"예? 20박스요?"

그 직원은 일단 그것으로 감동되어 버렸습니다. 그리고 그 과자 말고도 사탕과 기타 상품을 모두 그 직원에게 샀습니다. 그 직원은 기뻐서 어쩔 줄 몰라 했습니다.

"그리고 또 하나는 예수님을 선물하려고 해요. 너무 싹싹하고 친절하게 일을 잘해서 내가 가장 중요하게 생각하는 예수님을 선물하고 싶어요. 이번 주일에 우리 교회에 나오면 좋겠는데."

시간이 없어서 깊은 이야기는 할 수 없었지만 그 직원에게 짧은 관계형성 속에서 말씀을 전할 수 있었습니다. 그 직원은 마침 왕지교회에서 200미터밖에 안 떨어진 곳에 살고 있었고 그 주에 교회에 나왔습니다.

자연스러운 관계가 되면 상대방이 보다 마음을 편하게 열게 됩니다.

8계명 : 꼭 천국과 지옥을 이야기 하라

천국과 지옥은 현재 교회에서 의미가 많이 약화되어 있습니다. 고상하지 못한 것처럼 취급되기도 합니다. 요즘 지옥 간다고 하면 누가 예수를 믿겠느냐고 하는 사람도 많습니다. 그러나 저는 천국과 지옥은 불변의 진리라고 생각합니다. 천국과 지옥을 모르고 교회에 나오는 사람이 있다면 그 사람은 예수님을 구세주로 믿지 않는 것입니다. 구세주는 세상을 구원하실 분이라는 말인데 지옥이 없으면 구원할 이유도 없는 것이기 때문입니다. 그 사람들에게 예수는 철학자와 같은 인생의 선생에 불과할 것입니다.

성경에는 많은 곳에서 천국과 지옥을 이야기하고 있습니다. "예수님을 믿지 않으면 지옥에 갑니다."라는 말을 하지 않고 어떻게 간절한 마음이 생기며 어떻게 기도가 나오며 어떻게 전도를 하겠습니까? 저는 지금도 섬 선교를 나갈 때 "예수 천당 불신 지옥"이라고 쓴 가방을 둘러메고 나갑니다. 제가 미처 말하지 못하더라도 사람들이 그것을 보게 하기 위해서입니다.

천국과 지옥을 이야기하지 않고 교회로 데리고 나올 수는 있지만 절대 구원을 시킬 수는 없습니다. 천국에 가는 것이 구원이기 때문

미국 토렌스 J.S마켓에서 여동생
(매제 이우영 집사는 총으로 위협당하기도 함)

토렌스한인교회에서 열심히 신앙생활하는 동생부부

입니다. 많은 사람들이 전도지를 만들어 사람들에게 나누어 줍니다. 물론 공짜로 줍니다. 공짜라면 양잿물도 마신다는 이야기도 있지만 사람들은 공짜에 그렇게 신경을 쓰지 않습니다. 특히 전단지같은 것은 보지도 않고 쓰레기통에 버립니다. 전도지를 보는 확률은 1%가 안 된다고 합니다.

그러나 말은 다릅니다. 말은 듣는 사람이 의지가 있든 없든 들을 수밖에 없습니다. 그래서 저는 때를 얻든지 못 얻든지 예수 천국 불신 지옥을 이야기 합니다.

15년 전 미국으로 떠난 매제가 있었습니다. 저는 숱하게 성경책과 각종 기독서적들을 사 주며 읽어보라고 했습니다. 그러나 매제는 "의지가 약하고 마음이 나약한 사람이나 필요하지 전 필요 없어요."라며 무시했습니다.

즉, 한 번도 그런 책을 읽지 않은 것입니다.

저는 생각했습니다.

'아! 눈으로 보는 것은 본인이 결단하고 실행을 해야 할 수 있는 것이구나. 본인이 싫어 안보면 그만이구나.'

그래서 말을 하기 시작했습니다. 매제를 볼 때마다 예수 믿어야 천국 가고 그렇지 않으면 지옥에 갈 수 밖에 없다고 이야기했습니다.

여하튼 그러다가 매제는 미국에 갔습니다. 거기서 가게를 크게 열었는데 한 번은 흑인 갱들이 들이닥친 것입니다. 머리에 총을 겨누고 위협을 하는데 매제의 머리속에 "예수 천당, 불신 지옥"이라고 제가 외치고 다녔던 문구가 갑자기 떠올랐다고 합니다. 그래서 "하나님, 살려주세요."라고 기도했다고 합니다. 그런데 정말로 살았습니다. 매제는 그 다음 날 바로 근처에 있는 토렌스제일교회에 가서 예수님을 영접하고 그 교회에 등록했습니다. 그러나 시간이 지나면서 다시 안일한 생각에 빠져서 교회는 마음이 약한 사람이나 다니는 것이라고 하면서 나가지 않았다고 합니다.

그런데 또 한 번 큰일이 닥쳤습니다. 이번에는 남미의 갱이 들이닥쳐 총을 머리에 들이대더랍니다. 매제는 그 때 생각난 말은 오직 "예수 천국 불신 지옥"뿐이었다고 합니다. 그래서 또 기도했습니다.

"하나님, 제가 예수님을 믿습니다. 예수님을 믿겠습니다."

그런데 갱들이 그냥 나가더랍니다. 한국말로 크게 기도하니까 정신 나간 사람인 줄 알고 가버린 것이 아닌가 싶습니다. 지금은 교회에서 집사로 섬기고 있습니다.

제가 만약 책 만 사다 주고 말았다면 매제는 어쩌면 그런 결심을 하지 못했을지 모릅니다.

입으로 천국과 지옥에 대해서 분명히 말하는 것은 중요합니다.

9계명 : 마음을 채워주라

비래마을에서 전도할 때 저는 거의 대학교의 농촌봉사활동을 하는 것 같았습니다. 교회 식구들과 함께 가서 밭을 갈고 모를 심고 벼를 나르고 음식도 만들어주면서 정말 열심히 했습니다. 말로 전

섬 주민들의 마음을 가득 채워 줄 선물들

도하는 것도 중요하지만 몸으로 전도하는 것도 이에 못지않게 중요하다고 생각합니다.

전도는 봉사입니다. 정말 자기를 내놓고 봉사를 하다 보면 깡깡한 사람들의 마음이 두부같이 몰랑몰랑하게 되는 것입니다.

저는 염을 배웠습니다. 배우게 된 계기는 어머니가 돌아가셨을 때 염을 해주던 사람들을 본 것입니다. 죽은 사람의 시신을 가지런히 하고 정성스럽게 닦아 주는 것을 보고 저는 깊은 감동을 받았습니다. 부모를 잘 모시기는 해도 염을 할 수 있는 자녀는 별로 없었습니다. 저는 그들에게 가서 염을 해주기 시작했습니다. 시신이지만 마지막까지 정성스럽게 대하다 보면 남아있는 자녀들의 마음은 채워지고 열리게 됩니다.

아픈 사람을 찾아 갔을 때도 마찬가지입니다. 아플 때는 더욱 외롭고 의기소침해 있기 마련입니다. 그럴수록 그들의 마음을 가득 채워주면 그들은 위로 받고 마음이 열립니다.

그래서 저는 병문안 갈 때 돈보다도 선물을 가지고 갑니다. 엄청나게 많은 양을 가지고 갑니다. 통조림 한 개, 음료수 한 병 이 정도가 아니라 복숭아 통조림 열 개, 파인애플 통조림 열 개, 또 다른 통조림 열개 이렇게 총 30개의 통조림을 푸짐하게 가지고 갑니다. 가지고 간다는 것보다 지고 간다고 하는 것이 더 어울립니다. 그러면 그 사람들의 마음이 가득 채워지면서 활짝 열리는 것을 경험했습니다. 예수 믿는 것은 이와 같이 마음이 채워지는 것이라는 것을 알려주는 효과가 있는 것 같습니다. 상가에 갈 때도 병문안 할 때도 저는 마찬가지로 한보따리씩 선물을 안겨주고 옵니다.

흥겨운 자리에는 그렇게 가지 않습니다. 모두 즐거우니까요. 그러나 죽거나 병들어 있는 자리에는 반드시 그렇게 합니다. 그 때는 마음이 비워지는 때이기 때문입니다. 그럴 때 예수님의 사랑으로 채워주면 그들은 예수님을 채워주는 예수님으로 평생 기억하게 됩니다.

10계명 : 그 모습 그대로 인정하라, 그리고 정성으로 보살피라

저는 전도할 때 꼭 기억하는 것이 있습니다. 그것은 전도되어 처음 교회에 나온 사람들에게 너무 많은 것을 기대하지 않는다는 것입니다. 그 분들은 삶이 아직 완전히 변화되지 않은 상태입니다. 그런데 사람들은 가끔 처음 교회 온 사람들에게 담배도 끊어라 술도 끊어라 이것도 끊어라 저것도 끊어라 합니다.

저는 그러지 말았으면 합니다. 왜냐하면 저도 그랬기 때문입니다. 저 역시 술 좋아하고 담배도 즐겼던 사람입니다. 창밖에 보이던 교회 십자가를 보고 예배에 참석했을 때의 제 모습은 술에서 덜 깬 초췌한 모습이었습니다. 만약 그 때 목사님께서 그걸 끊지 않으면 교회 나올 수 없다고 했다면 저는 영원히 교회 나가지 못했을 수도 있습니다.

저는 하루에 이를 스물일곱 번 닦은 적도 있습니다. 담배냄새가 날까봐 그랬습니다. 그러나 목사님과 집사님들은 그것으로 뭐라고 하지 않았습니다. 그냥 저를 그 모습 그대로 받아주었습니다. 후에 하나님께서 모두 끊게 하셨습니다.

성경에 보면 집 나간 탕자가 쥐엄 열매를 먹다가 아버지에게 돌아올 때 사우나 하고 머리 깎고 오지 않았다고 했습니다. 그냥 남루한 그 차림 그대로 왔습니다. 탕자의 아버지는 그런 지저분하고 볼품없는 아들을 뛰어나가 맞아 주었습니다. 예수님도 처음 온 사람들을 그렇게 환대할 것입니다. 그냥 그 모습 그대로 사랑하시고 맞아 주실 것입니다. 그런데 사람들이 그것에 대해 징계를 내려 버린다면 그것은 옳지 않습니다. 세상 먼지가 가득 묻은 채로 왔어도 씻기고 새로 입힐 분은 주님이십니다. 주님이 알아서 하실 것입니다. 교회 계속 나와서 은혜 받고 성령 받으면 자연스럽게 변할 것입니다. 우리는 그저 잘 나오도록 그리고 잘 성장할 수 있도록 도와주는 것이 가장 우선해야 할 일이라고 생각합니다.

일단 교회에 나오면 정말 지극한 정성으로 감동시켜야 합니다. 저는 3개월에서 6개월간 그들을 돌보는데 비가 오나 눈이 오나 찾아가서 주일 예배를 드리도록 데리고 옵니다. 또 속회에 모두 등록시키고 도와주면서 나가게 합니다. 그렇게 교회문화에 익숙해지고 스스로 교회에 나올 수 있게 되면 또 다른 사람에게로 관심은 넘어갑니다. 교회의 다른 부서에서 책임지고 하는 것도 좋지만 데리고 온 사람만큼 하지는 못하는 것 같습니다. 될 수 있다면 전도한 사람이 잘 보살피는 것이 좋을 것 같습니다. 그리고 우리가 많은 직업 속에서 10분의 1만이라도 영혼구원에 시간을 투자해야합니다.

사형수가 한명 있습니다

저는 전도할 때 잘 해주는 이야기가 하나 있습니다. 전도를 하고 싶은 열망이 있는 사람들에게 도움이 되면 좋겠습니다.

사형수가 한명 있습니다.

그런데 이제 사형당할 날이 거의 되었습니다. 교도관이 한 가지 희한한 제안을 합니다.

"내가 네 가지를 이야기해 줄 것인데 그 중에 한 가지를 골라라. 그러면 그대로 해주겠다. 단, 한 가지를 고르면 그 이후의 사항들은 들을 수 없고 또 모든 사항은 지나가면 다시 선택할 수 없다. 그것으로 끝이다."

사형수는 동의 했습니다.

"첫째, 엄청난 재물이다."

사형수는 생각했습니다. 재물이 많으면 집에 있는 식구들이 편하게 살 수 있고 미래가 보장되는 것이었습니다. 그러나 자기가 살 수 없다면 그것이 의미가 없을 것 같았습니다. 과감하게 그것을 포기 했습니다.

"둘째, 권력이다."

권력, 생각해보니 권력이 있다면 안 될 것이 없을 것 같았습니다. 그러나 권력도 그냥 하루아침에 사라지는 신기루 같은 것이라는 생각이 들어 포기했습니다.

"셋째, 향락이다."

사형수는 차라리 죽을 것이라면 하룻밤이라도 세상 다 잊고 술취하고 여자에 빠지고 싶은 생각이 들었습니다. 그러나 그렇게 하고 다시 술에서 깨어나면 원래의 사형수로 돌아갈 것을 생각하니 끔찍했습니다. 그는 역시 포기했습니다.

만약 네 번째에 좋지 않은 조건이 걸린다면 그는 앞서 포기했던 것을 후회할 판이었습니다.

"넷째, 종잇조각이다."

사형수는 크게 실망했습니다. 꼬깃꼬깃 구겨진 종이 한 장이 자기 앞에 놓여 있을 뿐입니다. 돈을 달라고 해서 가족이라도 잘 살게 할 걸, 권력을 잡아서 잠시라도 떵떵거려 볼 걸, 술이라도 취해서 하룻밤 정신을 잃고 행복을 느껴 볼 걸.

그러나 이미 지난 사실이었습니다. 사형수는 종이를 펴볼 수밖에 없었습니다. 그것을 본 사형수는 갑자기 얼굴이 밝아지며 환호하며 기뻐했습니다.

"석방 통지서"였던 것입니다.

누구든지 이것을 알면 마지막 것을 고르지 않겠습니까?

몇 푼돈과 얼마간의 권력과 하룻밤 쾌락이 사형수에게 있어서 무엇이 중요하겠습니까? 사형수에게 가장 중요한 것은 목숨입니다.

예수님을 만나는 것은 무죄 석방 통지서와 같은 것입니다.

죽음 이후에 우리는 분명히 하나님의 심판을 받는데 거기서 우리는 살면서 선택한 것에 의해 결정이 내려질 것입니다. 그것은 하나님의 법칙입니다. 사람이 생각하느냐 그렇지 않느냐에 따라 있기도 하고 없기도 한 것이 아닙니다. 그것은 꼭 있습니다.

그렇다면 죽은 후에 어디로 가야 하냐 하는 것이 중요하지 않겠습니까? 그럴 때 선택해야 하는 것이 위에 말한 네 가지라면 네 번째 것을 골라야 하지 않겠습니까?

저는 당신이 지옥에 가지 않기를 정말 간절히 원합니다. 영원이 있다고 생각하신다면 예수님을 만나기를 바랍니다.

전도, 그 영원한 기쁨 9

나의 달려갈 길과 주 예수께 받은 사명 곧 하나님의 은혜의 복음 증거하는 일을
마치려 함에는 나의 생명을 조금도 귀한 것으로 여기지 아니하노라
(사도행전 20:24)

전도하는 기쁨 – 물 위를 걷는 기쁨

빌립보서 1장 15절부터 18절 말씀에는 이렇게 기록되어 있습니다.

"어떤 이들은 투기와 분쟁으로, 어떤 이들은 착한 뜻으로 그리스도를 전파하나니 이들은 내가 복음을 변명하기 위하여 세우심을 받은 줄 알고 사랑으로 하나 저들은 나의 매임에 괴로움을 더하게 할 줄로 생각하여 순전치 못하게 다툼으로 그리스도를 전파하느니라 그러면 무엇이뇨 외모로 하나 참으로 하나 무슨 방도로 하든지 전파되는 것은 그리스도니 이로써 내가 기뻐하고 또한 기뻐하리라"

이 말씀은 다시 생각하면 전도에는 모든 방법을 동원할 수 있다는 것입니다. 방법이 문제가 아니고 전도를 한다는 것이 문제인 것입니다. 전도하면 하나님께서는 참으로 기뻐하십니다. 그래서 전도하는 사람에게 큰 기쁨을 허락하시는 것을 체험합니다.

전도한 제 자신에게도 하나님께서는 마태복음 6장 33절에 기록되어 있는 "먼저 그의 나라와 그의 의를 구하라 그리하면 이 모든 것을 너희에게 더하시리라" 라는 말씀대로 개인적으로 건강을 허락하셨고, 땅에 복을 내려 주셨고 사업을 배로 확장시켜 주셨으며 자녀들도 잘 자라게 해주셨습니다. 전도할 때마다 저는 하나님의 놀라운 은혜와 능력을 체험합니다. 전도하고 돌아올 때의 기쁨은 말로 표현할 수가 없습니다. 아마 베드로가 배에서 뛰어 내려 물위를 걸을 때 이런 기쁨이 아니었을까 생각합니다. 그리고 모세가 호렙산에서 하나님을 만나고 내려 올 때의 기쁨이 이런 것일 겁니다.

저는 하늘나라에 가는 그 날까지 생명을 살리는 전도하는 일에 최선을 다하려고 합니다.

전도하는 것을 저는 가끔 강아지에 비유하여 말하곤 합니다.

강아지를 물에 넣으려고 하면 강아지는 바동거리며 물에 들어가지 않으려고 무척 애를 씁니다. 하지만 막상 물에 들어가면 너무도 태연하게 강아지는 헤엄을 쳐나옵니다.

하나님은 누구나 전도할 수 있도록 만드셨습니다. 하면 되는 것입니다.

'내 말을 안 들으면 어떡하나?', '내가 바보스러워 보이면 어떡하나' 하는 모든 걱정들은 일단 전도를 시작하는 순간 모두 사라져 버리는 것을 체험할 수 있을 것입니다.

어부에게는 그물이 삶의 도구이고 군인들에게는 무기가 그 도구인 것처럼 전도하는 사람들에게 하나님은 말씀을 주셨습니다. 말씀

낙도 할머니를 위해 기도하는 모습

대로 전도하면 되는 것입니다.

전도는 필수사항 – 어부의 삶

저는 새벽마다 차량운행을 하면서 고속도로 입구에 있는 "안전벨트는 선택이 아니라 필수입니다."라는 문구를 늘 보게 됩니다. 사람들은 필수인데도 선택사항인양 여기고 있기 때문에 이런 문구를 눈에 잘 띄게 걸어 놓았을 것입니다.

저는 전도도 모든 성도들의 필수사항이라고 생각합니다. 그러나 사람들은 종종 선택사항처럼 생각합니다. 잘못된 것이라고 확실히 말할 수 있습니다. 그리고 당연한 것입니다.

교육과 세미나가 도움이 될 수 있지만 전도는 직접 해보는 것이

부산 수영로교회 집회를 마치고

가장 좋습니다. 은혜 받은 사람이라면, 성령 충만한 사람이라면 누구나 할 수 있다고 생각합니다.

예수님은 어부들을 그 제자들로 삼으셨습니다. 그래서 저는 어부들이 제자들로서 장점이 있을까 생각해 본적이 있습니다. 제 나름대로 결론을 얻었는데 그것은 다음과 같습니다.

첫째, 어부는 단순합니다.

단순하다는 것이 꼭 장점일 수는 없겠지요. 그러나 그들은 단순해서 예수님께 순종했다고 생각합니다.

둘째, 어부는 비린내 나는 사람입니다.

이것은 꼭 어부에 제한되는 말은 아닙니다. 제빵사는 빵 냄새가 날 것이고 시장에서 반찬 파는 사람들에게선 반찬 냄새가 날 것입니다. 이것은 최선을 다해서 일하는 사람들에게서 공통적으로 찾을 수 있는 점입니다. 저는 전도에 대해서 최선을 다하는 사람들에게서 예수님의 향기도 날 수 있다고 해석하고 싶습니다. 어부가 고기도 잡지 않고 배도 안탄다면 비린내는 면할 수 있겠지만 어부의 이름도 버려야 하지 않겠습니까?

셋째, 어부는 풍랑을 이길 수 있는 사람들입니다.

어부들은 배를 모는데 놀라운 기술을 발휘합니다. 여객선은 파도가 높으면 출항하지 않지만 어부는 다릅니다. 바다에 그 전날 그물을 쳐 놓기 때문에 웬만한 파도에는 배를 출항시켜서 그물을 걷어와야 합니다. 그들은 그 파도와 비바람을 뚫고 그물도 걷고 고기도 잡아서 돌아옵니다. 인생에는 어려움이 여러 번 있는데 어부들은 그것을 능히 이겨낼 수 있는 사람들인 것입니다.

제주도 제광교회에서(최세창 감독과 함께)

어부는 물고기를 잡는데 필요한 모든 방법을 배우고 연습합니다. 왜냐하면 그것이 그들의 할 일이고 생명이기 때문입니다.

이처럼 그리스도인들은 전도하는 데 모든 방법을 배우고 연습해야 합니다. 전도가 그리스도인들의 해야 할 일이기 때문입니다.

예수님은 전도하기를 명령하셨습니다. 명령했다는 것은 그것을 감당할 능력도 함께 주셨다는 뜻이기도 합니다. 그러니 두려움을 버리고 어부들처럼 단순하게 예수님께 순종하고 예수의 향기를 퍼뜨리며 어려움들을 극복해나가면서 전도에 힘써야 할 것입니다.

전도는 선택이 아니라 예수님이 명령하신 모든 그리스도인들의 필수사항입니다.

몇년 전 노무현 후보가 대통령에 당선되었을 때 전국 각지에 축하 현수막이 걸렸었습니다. 그리고 매년 사법고시를 통과한 사람들을 축하하는 현수막도 출신 학교나 마을에 걸리게 됩니다.

전도하는 사람에겐 이 같은 현수막이 영원히 걸릴 것입니다.

"많은 사람을 옳은 데로 돌아오게 한 자는 하늘의 별과 같이 영원토록 비취리라"(다니엘 12:3)

좋은 음식점이 있으면 사람들은 서로 광고하고 알려줍니다. 가까운 가족들도 데리고 가서 꼭 먹이려고 합니다. 하물며 TV에서 하는 홈쇼핑을 보면 광고만으로 겨울철에 냉장고도 팝니다. 광고를 잘하면 아프리카에서 신발을 팔고 에스키모에게 에어컨을 팔기도

합니다.

예수님도 그렇게 알려져야 합니다. 나를 구원하신 예수님을 더 이상 내 마음속에 숨겨 놓아서는 안 됩니다. 정말 예수를 믿고 천국을 믿고 정말 지옥이 있다고 믿는 다면 사랑하는 사람에게 어떻게 전도하지 않을 수 있겠는가 생각해 봅니다.

전도는 누구나 할 수 있는 일인 동시에 누구나 해야만 하는 일이라고 생각합니다.

저는 십자가 보혈의 사랑을 누구보다 많이 받은 사람으로서 "하나님은 모든 사람이 구원을 받으며 진리를 아는 데 이르기를 원하시느니라" 는 디모데전서 2장 4절의 말씀대로 때를 얻든지 못 얻든지 복음을 전파하는데 최선을 다하는 전도자로서의 삶을 계속 걸어갈 것입니다.